SOINS PSYCHIATRIQUES

DIANE TREMBLAY
Révision technique IRMA BUTZ

SOINS PSYCHIATRIQUES

ÉDITIONS DU RENOUVEAU PÉDAGOGIQUE INC.
8955, boulevard Saint-Laurent, Montréal 354 (Québec)

La maquette
de la couverture
est de
Raymond Racette

Dépôt légal: 3e trimestre 1971
Bibliothèque nationale du Québec
Bibliothèque nationale du Canada

2250-A-3

Soins psychiatriques est une nouvelle édition du manuel *Le nursing psychiatrique*, révisée et remaniée. Il aidera les personnes qui se destinent aux soins des malades mentaux à mieux comprendre ces derniers.

L'ouvrage se divise en deux parties: la première renferme les éléments théoriques de la psychiatrie et des soins qui s'y rapportent; la deuxième expose quelques aspects des relations entre le soignant et le malade, aspects que divers travaux cliniques viennent compléter pour aider le soignant à préciser ses connaissances et à poursuivre sa réflexion.

L'auteur

PRÉFACE

Diane Tremblay est ici le porte-parole d'un groupe de professionnels qui écrivent rarement, c'est un événement qui mérite d'être salué en lui-même par un médecin, à condition que celui-ci soit intérieurement prêt à se défaire du lien hiérarchique à l'égard des infirmiers qui sont, de tout temps, ses collaborateurs les plus proches.

Par le contenu de l'ouvrage, l'auteur nous fait entendre qu'il convient de mettre en question les points de vue techniques et objectivants et, qu'en définitive, c'est surtout le soignant qui, par la qualité de sa présence et de ses échanges, par toute sa personne en relation avec celle du malade, constitue le premier des traitements.

Puis, le plan même de ce travail invite les infirmiers en formation à réaliser en eux-mêmes, devant chaque malade, une synthèse constamment à refaire de la connaissance de la différence et de celle de la similitude (la «co-naissance»). Il s'agit de tenir cette gageure que la reconnaissance de la folie de l'autre ne déclenche pas en nous des mécanismes de mise à distance et de rejet «chosifiants», mais permette au contraire l'établissement d'une relation thérapeutique.

A ce propos, la deuxième partie de l'ouvrage ouvre des voies précises et concrètes dans un langage inspiré de l'expérience propre de l'infirmier(ère) en parvenant à ne pas mimer ou paraphraser le psychiatre.

Au terme de cette lecture puis-je émettre le vœu que Diane Tremblay poursuive sa réflexion, qu'après avoir contribué à mieux définir la spécificité de la fonction d'infirmier(ère) psychiatrique, elle étudie particulièrement les formes de travail que la psychiatrie nouvelle offre à tous les soignants en psychiatrie: l'équipe pluri-disciplinaire et la rencontre du malade dans son milieu, à distance des institutions hospilalières.

Philippe Paumelle
Médecin directeur de l'Association de santé mentale du XIIIe arrondissement, Paris.

TABLE DES MATIÈRES

1

ÉLÉMENTS DE PSYCHIATRIE ET SOINS PSYCHIATRIQUES

1
GÉNÉRALITÉS

ÉVOLUTION DE LA CONCEPTION DE LA MALADIE MENTALE
QU'EST-CE QUE LA MALADIE MENTALE?
FACTEURS QUI PRÉDISPOSENT À LA MALADIE MENTALE
QU'EST-CE QU'UNE PSYCHOSE, QU'EST-CE QU'UNE NÉVROSE?
ANXIÉTÉ OU ANGOISSE, SYMPTÔME FONDAMENTAL DE LA MALADIE MENTALE
MÉCANISMES DE DÉFENSE
CLASSIFICATION DES MALADIES MENTALES

ÉVOLUTION DE LA CONCEPTION DE LA MALADIE MENTALE

La mentalité des gens a beaucoup évolué depuis l'antiquité et il y a eu plusieurs étapes à franchir avant d'en arriver aux conceptions modernes de la maladie mentale.

Première étape: les conceptions primitives

En vertu des croyances mystiques, le malade mental était considéré comme possédé du démon. On torturait, on trépanait le malade afin de contraindre le diable à le quitter. On croyait que le démon était la cause de tous les cas de folie. L'homme normal qui perdait l'esprit cessait d'avoir quelque caractéristique humaine et devenait, en quelque sorte, un être déchu.

Deuxième étape: les préjugés sociaux

La société s'occupe peu à peu du malade mental, mais songe avant tout à s'en protéger. Elle l'enferme. Auparavant, rien n'était assez solide pour le tenir en place. On l'emprisonnait dans des tours et des donjons où il était mal nourri, chargé de chaînes, où il couchait sur de la paille pourrie et vivait dans des conditions d'hygiène épouvantables. Le taux de mortalité était très élevé, mais pour ces malades, la mort était une délivrance.

Au XVIIIᵉ siècle, on commence réellement à améliorer le sort des aliénés. Philippe Pinel (1745-1826) préconise la suppression des chaînes, le secours moral, l'exercice et le travail pour les malades mentaux. C'est ainsi que Pinel se fit remarquer par son sens humanitaire et sa compréhension à l'égard des malades.

Troisième étape: la surveillance (le «gardiennage»)

Le médecin entreprend des traitements, mais sans une véritable participation du personnel qui joue encore un rôle passif, celui de gardien. Comme il n'a reçu aucune formation spéciale, le personnel croit sa tâche finie lorsqu'il a donné les soins inhérents à l'hébergement du malade, à la distribution de la nourriture et au changement du linge.

Quatrième étape: la psychiatrie moderne

L'évolution de la psychiatrie, plus particulièrement durant les dix dernières années, nous permet de croire que les programmes et modalités thérapeutiques assurent des soins appropriés au malade mental tout en le laissant, dans la mesure du possible, au sein de son entourage, ce qui évite parfois l'hospitalisation et diminue les risques de chronicité.

Cependant, un certain nombre de malades mentaux sont dangereux pour eux-mêmes ou pour autrui. Pour ceux-ci, l'hospitalisation en milieu psychiatrique est généralement requise. Or, il faut se rendre compte que l'institution psychiatrique n'est plus un endroit fermé mais qu'il a tendance à s'ouvrir de plus en plus. Le malade mental y a beaucoup plus d'autonomie et de liberté qu'autrefois.

La psychiatrie moderne se fixe trois objectifs principaux:

le dépistage de la maladie mentale,
le traitement précoce,
la prévention des rechutes.

Elle ne se limite plus à prendre en charge le malade mental à l'intérieur de l'hôpital; en effet, elle tend à s'introduire dans la communauté.

C'est ainsi que nous voyons naître la psychiatrie communautaire qui apporte de nouveaux moyens pour soigner les malades mentaux.

Des *équipes de secteur* donnent des soins psychiatriques à domicile et contribuent au dépistage de la maladie mentale.

Des *cliniques externes* assurent un service de consultation et permettent au malade d'y être suivi régulièrement.

Des *centres psychiatriques,* ouverts le jour seulement, facilitent la prise en charge thérapeutique du malade pendant la journée et permettent son retour dans sa famille le soir.

Des *foyers de transition* aident le malade dont l'hospitalisation se termine, à franchir l'étape de son retour dans la société.

Des *ateliers de réentraînement à l'effort* apprennent au malade à fournir graduellement l'effort d'un travail continu.

Cependant, malgré toutes les thérapeutiques modernes de la médecine et de ses spécialités, la personne malade a souvent tendance à retarder le moment de se faire soigner.

Cette réticence est encore plus marquée lorsqu'il s'agit d'une maladie mentale. De nos jours, les nombreux préjugés sociaux et familiaux, les craintes de passer pour un fou découragent encore considérablement les tentatives d'aide à la personne atteinte de maladie mentale qui pourrait recevoir des soins appropriés.

QU'EST-CE QUE LA MALADIE MENTALE?

Elle peut se définir comme un désordre dans la manière de vivre d'une personne, désordre dont la gravité l'empêche de se comporter de façon appropriée.

Elle peut atteindre et modifier le comportement d'une personne à un point tel que sa conduite devient inacceptable aux yeux de son entourage, de sa famille ou de ses amis intimes.

En résumé, on peut dire qu'un individu est un malade mental à partir du moment où il ne peut plus se comporter ou agir convenablement en société, tant au niveau de ses relations familiales et amicales qu'au niveau de ses relations sociales ou professionnelles.

FACTEURS QUI PRÉDISPOSENT À LA MALADIE MENTALE

Ils sont nombreux et de nature diverse. Le déséquilibre mental peut être déclenché, soit par des facteurs physiques ou psychologiques, soit par une combinaison des deux, ou encore par des facteurs socioculturels.

On peut classer les principaux facteurs de la maladie mentale en trois catégories.

Facteurs physiques ou organiques, résultat d'un dérèglement corporel

Dans cette catégorie, on range tous les syndromes cérébraux:

dus à des infections intracrâniennes comme l'encéphalite, la paralysie générale, etc., dus à des affections cérébrales comme l'artériosclérose cérébrale, l'épilepsie, les traumatismes crâniens à la suite d'un accident ou d'une chute, les tumeurs intracrâniennes, les troubles vasculaires cérébraux causés par une hémorragie, embolie ou thrombose cérébrale, etc.,

dus à des affections somatiques comme les troubles du métabolisme et de la nutrition comme le diabète, l'urémie, l'avitaminose, les infections locales ou généralisées, les troubles endocriniens, etc.,

dus à l'alcoolisme,

dus à la vieillesse,

dus à la déficience ou arriération mentale.

Ces troubles peuvent entraîner des psychoses organiques.

Facteurs psychologiques, résultat de troubles affectifs et émotifs

Frustrations graves et répétées de l'enfance, conflits, chocs émotionnels, manque d'affection, irritation continuelle dans les relations humaines, atteintes sérieuses au prestige et à l'amour-propre, etc. Ces troubles émotifs peuvent entraîner des névroses ou des psychoses.

Facteurs socio-culturels, résultat de la contamination par l'influence d'un milieu social ou familial malsain

Ces troubles peuvent prédisposer à des psychoses comme la schizophrénie, à des troubles de la personnalité, à la délinquance juvénile, à la psychopathie, à la narcomanie, à l'alcoolisme, etc.

QU'EST-CE QU'UNE PSYCHOSE, QU'EST-CE QU'UNE NÉVROSE?

Définition

Nous parlerons tout d'abord des *névroses* et des *psychoses* puisque ce sont les deux termes fondamentaux et universellement employés en psychiatrie.

On peut alors se poser, en premier lieu, les questions suivantes:

Qu'est-ce qu'une névrose, qu'est-ce qu'une psychose?

Comment déterminer qu'une personne est atteinte de névrose ou de psychose?

Les psychiatres ont tenté, à maintes reprises, de distinguer les deux termes névrose et psychose. Pour le faire, ils ont attribué à chaque terme une étiologie, une symptomatologie quantitative et qualitative, un tableau clinique et un pronostic particuliers.

Les différences sont donc principalement d'ordre descriptif et viennent surtout du *degré* et de la *gravité* des symptômes.

Le symptôme fondamental de la maladie mentale apparaît être l'*angoisse.*

Dans les cas de psychose, le malade emploie des mécanismes de défense pathologiques comme l'autisme, le retrait de la réalité, les illusions, les hallucinations, le délire, pour réagir aux pressions internes et externes et lutter contre son angoisse.

La psychose est donc caractérisée par des désordres affectifs graves qui engendrent des troubles sérieux de l'humeur, associés à des altérations de la pensée, du comportement et de l'affect. Ceux-ci se manifestent dans la schizophrénie, par exemple.

En d'autres termes, un malade est atteint de psychose «lorsque ses fonctions mentales sont perturbées au point d'altérer manifestement sa capacité de faire face aux difficultés ordinaires de la vie. La perturbation peut résulter d'une grave distorsion dans la perception et l'appréciation de la réalité. Les hallucinations et les illusions sont des exemples de distorsions perceptuelles. L'humeur peut être si profondément altérée que le malade devient incapable de réagir de façon appropriée. Les pertes sur le plan de la perception, du langage et de la mémoire peuvent être telles que le patient psychotique perd effectivement la faculté de se rendre compte de sa propre situation[1].»

Dans les cas de névrose, il y a également emploi des mécanismes de défense pour réagir aux pressions internes et externes, mais non d'une manière pathologique. La névrose est caractérisée principalement par l'angoisse qui peut être ressentie et exprimée directement ou contrôlée automatiquement par des mécanismes de défense comme la négation, la rationalisation, le déplacement, la projection, etc.

Les névroses, contrairement aux psychoses, ne causent ni grossière distorsion ou fausse interprétation de la réalité extérieure, ni désorganisation évidente de la personnalité. Quelle que soit l'importance de leurs symptômes, les névrosés ne sont généralement pas reconnus psychotiques du fait qu'ils sont conscients de leurs troubles.

Nous allons maintenant essayer de comparer la gravité des symptômes de la névrose et de la psychose sous différents aspects.

---

1. *Manuel de classification des diagnostics psychiatriques*, Ottawa, Bureau fédéral de la statistique, mars 1969, p. 13.

Différences et caractéristiques sur le plan clinique

Névrose	Psychose
Personnalité	
Changement partiel seulement, parfois nul, de la personnalité.	Désorganisation et déformation de la personnalité.
Sens de la réalité	
Aucune déformation marquée de la réalité. Toute évasion de la réalité est partielle et perturbe peu la personnalité.	Perte de contact avec la réalité. Le psychotique déforme ou falsifie la réalité par des illusions, hallucinations ou délires et se crée un nouvel entourage auquel il applique les forces et les propriétés de la réalité.
Autocritique	
Le névrotique est habituellement capable de comprendre son propre comportement.	Absence plus ou moins complète de lucidité ou de discernement vis-à-vis de son propre comportement. Le psychotique tolère, par exemple, des fantaisies sans exercer son sens critique ou sans se rendre compte qu'elles viennent de son monde intérieur.
Conscience de la maladie	
Le névrotique ressent de façon aiguë son état, en souffre et veut sa guérison, quoiqu'il sente que ses désirs inconscients les plus puissants le poussent vers le contraire.	De façon générale, le psychotique ne se rend pas compte qu'il est malade et ne manifeste donc pas le désir de changer son état.
Contenu de la pensée	
Pensée à contenu temporairement limité par une surévaluation de certaines idées.	Pensée à contenu irréel et illogique.
Langage	
Aucun désordre grave du langage.	Distorsions du langage. Le psychotique a tendance à inventer des mots nouveaux (néologismes).

Facultés intellectuelles	
Ralentissement du fonctionnement des facultés intellectuelles, bien que celles-ci ne soient pas gravement atteintes.	Indices d'un mauvais fonctionnement des facultés intellectuelles comme l'attention, la mémoire, la compréhension et le jugement.
Affectivité	
Légère modification de l'affectivité. L'entourage du névrotique reste le même, à part certains éléments environnants chargés de valeurs affectives anormales.	Modifications de l'affectivité souvent marquées et importantes.
Intérêt au monde extérieur	
Le névrotique manifeste habituellement encore de l'intérêt au monde extérieur et demeure sensible au climat social.	Le psychotique perd tout intérêt en la société ou y porte un intérêt assez désordonné.
Régression	
Une certaine régression dans son comportement, accompagnée d'un sentiment de honte.	Régression plus grave dans son comportement, parfois situé en dehors de la réalité. Le psychotique, par exemple, mouille son lit, se salit, joue avec ses selles, etc.
Dépression	
Dépression influencée par l'entourage.	Dépression influencée par un état intérieur.

Après avoir établi ce parallèle, on se rend compte que la délimitation du domaine respectif de la névrose et de la psychose n'est pas toujours clairement précisée. La difficulté réside dans le fait que *la distinction repose sur des différences descriptives et sommaires de la symptomatologie.* L'emploi des termes névrose et psychose se justifie dans une certaine mesure par la nécessité pratique d'avoir des catégories diagnostiques. On s'en sert dans l'enseignement et en administration, lors de l'enregistrement du malade.

Retenons la distinction de Freud: la névrose ne nie pas l'existence de la réalité, elle essaie à peine de l'ignorer; la psychose nie la réalité et essaie d'y substituer quelque chose.

ANXIÉTÉ OU ANGOISSE, SYMPTÔME FONDAMENTAL DE LA MALADIE MENTALE

Définition

D'après plusieurs auteurs, les termes *anxiété* et *angoisse* sont des synonymes ou à peu près, sauf pour l'école française qui fait parfois une différence et préfère garder le mot angoisse quand il y a, en plus de l'anxiété, des troubles de nature ou d'ordre physique.

Henri Ey définit l'angoisse comme l'ensemble des troubles physiques qui concourent à donner à l'anxieux l'impression qu'il est serré dans un étau, étranglé, tordu, aux portes même de la mort.

Pierre Janet décrit l'anxiété comme le sentiment sans contenu, sans objet.

Brown et Fowler disent que le sentiment d'anxiété survient quand une personne est en quelque sorte menacée ou croit être en danger. On peut le définir comme un état de crainte ou d'appréhension en rapport avec un danger redouté. L'anxiété sert de signal alertant l'individu lorsqu'il y a possibilité d'excitation excessive, de l'intérieur ou de l'extérieur, excitation qui peut bouleverser son équilibre et créer un état douloureux et déplaisant. Tel un avertissement, l'anxiété agit comme un stimulus pour inviter l'individu à se mettre en état de défense et à manier l'excitation.

On définit encore l'anxiété comme un malaise, une inquiétude douloureuse de l'esprit, un état de tension accrue accompagnée d'une indicible, d'une inexprimable crainte – la conscience d'un danger imminent, imprécis.

En somme, l'anxiété ou l'angoisse est une émotion qui peut être considérée comme normale et essentiellement liée à la condition humaine. Elle ne devient pathologique que lorsqu'elle devient disproportionnée et que les raisons ou les causes n'ont apparemment aucun rapport avec son intensité.

Causes

L'anxiété ou l'angoisse apparaît dans toute situation qui menace l'intégrité personnelle du malade.

L'émergence ou le retour à la conscience de principes ou de sentiments refoulés (comme des désirs sexuels défendus, des sentiments hostiles ou agressifs) est particulièrement susceptible de provoquer une certaine angoisse. Celle-ci peut surgir aussi dans les moments difficiles de la vie, alors qu'il faut prendre une décision importante, par exemple, ou à la suite d'une déception, d'une frustration, d'un conflit, etc.

L'anxiété ou l'angoisse est le symptôme fondamental de tous les états névrotiques et psychotiques et on la retrouve partout, quelquefois déguisée sous des formes trompeuses. Elle est plus ou moins ressentie, plus ou moins consciente et peut parfois se contrôler de façon inconsciente et automatique par divers moyens comme les mécanismes de défense ou le développement de symptômes. Par exemple, certains malades utilisent des symptômes physiques, d'autres un rituel, d'autres encore le délire, par lesquels ils contrôlent ou soulagent leur angoisse.

Principales manifestations

- Incapacité de se détendre pouvant aller jusqu'à une grande agitation
- Mains froides et humides
- Sensation de serrement tout le tour de la tête
- Frottement des mains et mouvement de la main vers la bouche
- Quantité de soucis, d'inquiétudes à propos de l'activité environnante
- Peur de mourir
- Désir de faire toutes choses suivant le même principe
- Nombreux troubles somatiques
- Maladresse des mains, objets qui échappent des mains
- Maladresse des pieds, trébuchements, pieds qui traînent
- Écroulement des rêves, espérances entretenues, peur qu'elles ne se réalisent jamais
- Réflexes tendineux dans les membres, au moment de s'endormir
- Tics faciaux
- Voix mal assurée
- Bégaiement
- Serrement de gorge
- Grincement des dents

Symptômes cardio-vasculaires

- Pression et douleur précordiale
- Douleur précordiale qui irradie dans le bras gauche et même dans le dos
- Palpitations
- Flux de sang au visage
- Douleurs lancinantes dans le cou, dans la tête ou dans le corps tout entier
- Sensation de chaleur
- Serrement de cœur
- Strangulation des veines
- Pouls rapide
- Hypertension artérielle

Symptômes gastro-intestinaux

- Nausées
- Anorexie
- Gaz
- Vomissement
- Bouche sèche
- Diarrhée
- Borborygmes
- Malaises épigastriques
- Perte de poids
- Impression de défaillance
- Brûlures d'estomac
- Crampes
- Mauvais goût dans la bouche

Symptôme génito-urinaire

- Fréquence des mictions

Symptômes musculaires

- Fatigue
- Faiblesse
- Rigidité de la figure, du cou, des mains
- Serrement de tête, pression vasculaire
- Contraction dans la tête
- Tête, cou endoloris

Désordres plus graves

- Anxiété accompagnée d'agitation
- Irritabilité
- Sentiment d'irréalité
- Confusion
- Craintes de perdre la raison, de mourir

Ces manifestations surviennent dans toutes sortes de conditions pathologiques et occasionnellement chez les individus normaux. Il ne faudrait donc pas les interpréter d'emblée comme symptômes de l'anxiété ou de l'angoisse.

MÉCANISMES DE DÉFENSE

Introduction

«Tout être humain a besoin de se défendre contre la douleur physique ou morale et partant contre l'appréhension de la douleur et l'anxiété qui en découle[1].»

Explication sommaire

Pour se soulager de son anxiété, pour tenter de résoudre ses conflits émotionnels, pour calmer ses sentiments de frustration et sa tension émotionnelle, on utilise des processus ou moyens psychologiques qu'on appelle *mécanismes de défense.*

1. Dr Bijou Legrand, *Psychiatrie simplifiée*, Port-au-Prince (Haïti), Imprimerie Séminaire Adventiste, 1963, p. 36.

En d'autres termes, ce sont les mécanismes de défense qui nous permettent de lutter contre nos problèmes et l'angoisse qu'ils suscitent.

Ces problèmes ne sont pas nécessairement pathologiques. Ainsi, c'est par un bon usage de ces mécanismes qu'une personne normale arrive à maintenir son équilibre émotionnel. Sinon, les déceptions et frustrations de la vie courante seraient intolérables.

On n'est généralement pas conscient de l'usage de ces moyens psychologiques, parce qu'ils sont automatiques.

On peut se servir de plusieurs mécanismes de défense différents en même temps ou successivement, selon le type de conflit à résoudre et le mode habituel de réaction adopté au cours du développement de notre personnalité.

La personne normale emploie les mécanismes de défense au même titre que la personne malade pour se soulager de son anxiété. La différence existe dans le fait que le malade, pour répondre à ses désirs, se sert trop fréquemment, de façon trop intense et inadéquate de certains de ces processus psychologiques. Si ces mécanismes ne suffisent pas, il régresse à un stade où les symptômes apparaissent et un comportement perturbé s'établit en lui.

Pour réviser ce processus, on pourrait dire que les tensions, frustrations, conflits provoquent de l'anxiété. Cette anxiété pousse à utiliser des mécanismes de défense pour soulager le malaise et retrouver l'équilibre émotionnel. Si ces mécanismes de défense sont insuffisants ou s'ils sont employés de façon inadéquate, on voit alors apparaître des symptômes et un comportement perturbé.

On pourrait schématiser ainsi le processus:

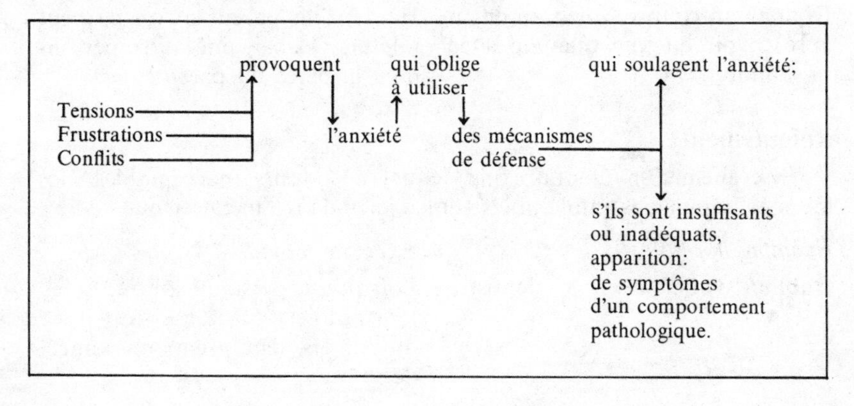

Nous tenterons maintenant de comparer les principaux mécanismes de défense utilisés de façon normale et de façon pathologique.

Identification

Mécanisme par lequel on cherche à s'identifier, à s'attacher à une personne dont on admire les qualités: identification positive.

Exemple normal	*Exemple maladif*
L'identification joue un grand rôle dans l'éducation de l'enfant pour l'aider à atteindre le stade adulte: l'enfant cherche à imiter ses parents, l'adolescent cherche à imiter un héros ou une héroïne du monde cinématographique ou sportif.	Le malade se croit et se comporte comme s'il était une autre personne.

Déplacement

Mécanisme par lequel on attribue à une personne ou à un objet des sentiments qui se rapportent à une autre personne ou à un autre objet.

Exemple normal	*Exemple maladif*
Argumenter avec sa femme après avoir eu des difficultés avec le patron.	Les sentiments d'hostilité vis-à-vis un parent sévère peuvent engendrer une haine déraisonnable contre toute personne qui symbolise l'autorité.
Donner un coup de pied au chien après avoir eu une querelle avec sa femme.	Haine d'un parent qu'on ne peut tolérer. On hait une autre personne à la place du parent.

Refoulement

Mécanisme involontaire par lequel nos désirs inacceptables, nos idées et impulsions intolérables sont rejetés dans l'inconscient.

Exemple normal	*Exemple maladif*
Oublier d'aller chez le dentiste.	Lorsqu'une personne affirme qu'elle a oublié tout ce qui s'est passé durant les sept premières années de sa vie.

Oublier une situation embarrassante.	
Oublier de faire une tâche déplaisante.	

Projection

C'est une méthode où l'on nie des pensées et des sentiments qui ne sont pas acceptables et qu'on attribue à quelqu'un d'autre.

Exemple normal	*Exemple maladif*
La personne qui ne peut accepter son sentiment d'hostilité et l'attribue à quelqu'un d'autre.	Les sentiments d'hostilité sont si forts que la personne croit véritablement qu'autrui veut la blesser, quand au fond, c'est elle qui désire blesser les autres.
La personne qui crève d'envie d'être riche plutôt de s'avouer ce sentiment accuse ses voisins d'être ambitieux et d'envier la richesse des autres.	La personne surveille constamment, épie pour voir si on veut l'attaquer.

Compensation

C'est remplacer par une autre forme de gratification une forme de satisfaction que la personne imagine être défendue ou non accessible.

Exemple normal	*Exemple maladif*
L'handicapé devient un athlète.	S'adonner à la boisson ou prendre des narcotiques pour parer à des sentiments d'infériorité.
Manger beaucoup quand on s'ennuie.	

Sublimation

C'est un moyen de déverser dans des buts utiles ou des actes socialement acceptables un besoin qui autrement se traduirait en actions nuisibles.

Exemple normal	*Exemple maladif*
L'agressivité d'une personne est canalisée, utilisée dans les sports comme le football, la boxe, les courses d'auto.	On ne peut que rarement utiliser ce mécanisme et alors, à l'excès.

La personne qui, n'ayant pu avoir d'enfant, travaille auprès des enfants.

Formation réactionnelle

C'est une manière d'agir à l'opposé de nos désirs véritables.

Exemple normal

La personne agressive est d'une amabilité et d'une douceur excessive.

Exemple maladif

La personne aime tellement ses enfants que, pour leur ménager les souffrances de la vie, elle veut les tuer.

Rationalisation

C'est le fait de s'offrir à soi-même des raisons logiques et acceptables socialement afin de remplacer la raison réelle de notre comportement.

Nous préférons croire que notre action est le résultat d'une réflexion profonde plutôt qu'une réponse spontanée à des motifs non connus.

Exemple normal

L'étudiant qui se donne des excuses pour avoir manqué son examen, comme: la chambre était trop chaude, le temps alloué insuffisant.

Exemple maladif

La personne refuse d'accepter la raison véritable de ses erreurs. Elle offre toujours des raisons logiques pour justifier sa conduite.

Fantaisie

Se rapporte à l'imagination, soit pour résoudre nos problèmes, soit pour revivre des expériences agréables du passé, ou pour arriver à faire des projets d'avenir. Sorte de rêve éveillé.

Exemple normal

On supporte une situation présente désagréable lorsqu'on peut par notre imagination résoudre le problème. Lors d'un cours ennuyeux dans une classe surchauffée, on rêve d'aller à la plage.

Exemple maladif

Quand les besoins d'une personne sont pressants et qu'elle les craint, elle est alors poussée à se réfugier abusivement dans un monde d'irréalité et à ne plus rien faire par elle-même.

Régression

Retour partiel ou symbolique à des modes plus infantiles de satisfaction, retour qui s'observe très clairement dans les états psychotiques graves.

Exemple normal

Nous demandons de l'attention et de l'affection lorsque nous sommes malades ou fatigués.

Exemple maladif

Jouer avec ses selles.
Avaler des objets.

Conversion

Moyen par lequel les difficultés psychologiques sont transformées et converties en symptômes physiques (somatiques).

Exemple normal

Le mal de tête qui nous empêche de faire face à une situation déplaisante ou difficile.

Exemple maladif

La personne qui, ayant voulu en frapper une autre, voit sa main paralysée.

CLASSIFICATION DES MALADIES MENTALES

Il y a eu plusieurs tentatives de classification des maladies mentales; nous utiliserons la classification américaine tirée du *Diagnostic and Statistical Manual of Mental Disorders* (1968) et nous parlerons des catégories suivantes:

Maladies cérébrales organiques avec psychose

Psychose sénile

Psychoses alcooliques
- Delirium tremens
- Psychose de Korsakoff
- Autres états hallucinatoires alcooliques
- Paranoïa alcoolique

Psychoses associées à des syndromes cérébraux aigus:
infections intracrâniennes, affections cérébrales, affections somatiques.

Maladie cérébrale organique sans psychose

Épilepsie

Psychoses non organiques (sans maladie cérébrale organique)

Schizophrénie
- Forme simple
- Forme hébéphrénique
- Forme catatonique
- Forme paranoïde
- Forme schizo-affective

Psychoses affectives
Mélancolie d'involution
Psychose maniaco-dépressive

Réactions paranoïdes
La paranoïa
L'état paranoïde

Névroses

Névrose d'angoisse

Névrose hystérique

Névrose obsessionnelle

Dépression névrotique

Désordres de la personnalité

Troubles de la personnalité
Personnalité paranoïaque
Personnalité cyclothymique
Personnalité schizoïde
Personnalité hystérique
Personnalité obsessionnelle ou compulsive
Personnalité antisociale ou psychopatique

Déviations ou perversions sexuelles
Homosexualité
Pédophilie
Bestialité
Fétichisme
Voyeurisme
Exhibitionnisme
Sadisme et masochisme

Alcoolisme

Narcomanie ou pharmacodépendance

Maladies psychosomatiques

Déficience mentale

2
MALADIES CÉRÉBRALES ORGANIQUES AVEC PSYCHOSE

PSYCHOSE SÉNILE
PSYCHOSES ALCOOLIQUES
PSYCHOSES ASSOCIÉES À DES SYNDROMES CÉRÉBRAUX AIGUS

PSYCHOSE SÉNILE (appelée aussi démence sénile)

Définition

«Maladie mentale de la vieillesse caractérisée par une déchéance de la personnalité, une dégradation progressive de la mémoire, des bizarreries et de l'irritabilité[1].»

Causes

La psychose sénile peut être attribuable à l'âge, à une mauvaise adaptation, à l'environnement. Les causes peuvent donc être physiques (organiques) ou psychologiques, ou les deux à la fois.

Symptômes ou manifestations cliniques

- Difficulté à assimiler les expériences nouvelles.
- Perte de mémoire des faits récents
- Grande difficulté d'attention et de concentration
- Désorientation
- Confusion des objets et des personnes
- Grande irritabilité
- Excitation érotique
- Méfiance
- Délire

1. *Vocabulaire psychiatrique*, Association Canadienne pour la Santé Mentale, Montréal, Canada, 1963, p. 59.

Évolution

La détérioration peut être minime ou progresser jusqu'à l'état de vie végétative.

Psychose présénile (appelée aussi démence présénile)

Le tableau clinique ressemble à celui de la psychose sénile, mais les symptômes apparaissent chez des personnes plus jeunes.

Soins du vieillard en milieu psychiatrique

Introduction

Il y a un proverbe qui dit: «Il ne faut jamais déraciner un vieil arbre.» De fait, le vieillard hospitalisé se sent complètement désorienté et perdu. C'est comme si on avait rompu en lui le lien qui le rattache à l'existence.

Il doit délaisser les visages et les objets familiers, sa petite routine journalière qu'il connaît depuis nombre d'années, pour se voir subitement transposé dans un milieu inconnu et entouré de visages étrangers.

A ce milieu qu'il a peut-être tant redouté, il se voit donc obligé d'y recourir pour une longue période sans doute et souvent même pour y terminer ses jours.

Importance de l'accueil pour le vieillard

Sa vive sensibilité saura apprécier une réception cordiale et chaleureuse qui lui souhaite la bienvenue dans ce nouveau milieu. Même après plusieurs mois, il pourra souvent vous relater les détails de son arrivée, car ses premières impressions restent toujours gravées dans sa mémoire.

Savoir écouter le vieillard comme s'il était seul au monde, s'occuper de lui et de ses petites affaires avec prévenance et délicatesse, tout cela le rassure et le réjouit.

Besoins physiques du vieillard

Bien souvent, la maladie rend le vieillard maladroit et même incapable physiquement de s'occuper de son hygiène personnelle. Il incombe à l'équipe soignante de pourvoir au confort physique du malade âgé.

Besoins	*Attitude de l'équipe soignante*
Soins de la peau, des pieds, des ongles et des vêtements	Lui procurer un bain quotidien à l'eau chaude. Un tapis de caoutchouc dans la baignoire assure la sécurité du malade et prévient les accidents. Lui conseiller de porter des vêtements amples qui ne limitent pas ses mouvements et s'occuper de faire nettoyer les vêtements s'il y a lieu.
Sommeil	Lui apprendre à diminuer ses périodes d'occupation et à augmenter celles de repos. Créer une atmosphère de tranquillité autour de lui, car il a le sommeil léger. Un breuvage chaud l'aidera souvent à dormir.
Alimentation	Surveiller la présentation des repas qui seront servis d'une façon attrayante afin de stimuler son appétit. S'inquiéter des possibilités de chacun, au point de vue mastication; hacher la viande à ceux qui ont des prothèses défectueuses. Aider ceux qui tremblent. Veiller à ce qu'ils s'hydratent beaucoup en laissant à leur portée des jus de fruits variés et frais.
Exercice	Encourager le malade à faire une promenade quotidienne, quand cela est possible; cela aidera sa circulation et sa respiration. Certains exercices physiques sont recommandables, mais ils doivent être adaptés à chacun.

Besoins psychologiques du vieillard

Le vieillard a besoin d'aide pour s'adapter à un milieu hospitalier, milieu où il devra vivre pour un temps indéterminé. C'est en le comprenant que nous l'aiderons, et l'aider, c'est l'aimer.

C'est le rôle des soignants de s'adapter aux besoins du vieillard, de l'accepter tel qu'il est avec ses petites manies et de pourvoir à ses besoins psychologiques.

Besoins	*Attitude de l'équipe soignante*
Il a un besoin très vif de sécurité.	Mettre à sa disposition ses affaires personnelles et le matériel requis pour répondre à ses besoins quotidiens (lit, table de chevet, armoire personnelle, sonnette) afin qu'il puisse reconstituer son petit univers à lui.
Il a besoin de se sentir accepté car il se sent souvent seul, indésiré.	Travailler à maintenir le sentiment de sécurité et le sens de la dignité en l'appelant par son nom, par exemple: «Monsieur Larose». Lui offrir le matériel pour écrire des lettres ou les écrire pour lui s'il le désire.
	Saisir les occasions de lui faire sentir qu'il est désiré et utile dans le service où il se trouve. Encourager l'amitié avec d'autres malades.
Il a souvent besoin d'être orienté dans le temps et l'espace.	Mettre à sa disposition et d'une façon évidente une horloge et un calendrier. Lui répéter l'heure des repas et des activités.
Il a besoin d'accomplir quelque chose par lui-même, de se sentir utile.	Essayer de lui trouver un travail qu'il peut accomplir: balayer, laver des vêtements, arroser des plantes, vider les cendriers.
Il a besoin de se sentir à l'aise dans les activités de groupe surtout s'il a des troubles de la vue et de l'ouïe.	Faire en sorte qu'il se sente accepté et à l'aise, soit par le placement des chaises, soit en le plaçant à côté d'un malade qui voit, entend et communique bien.

PSYCHOSES ALCOOLIQUES (intoxication par l'alcool)

«L'intoxication alcoolique peut causer un état psychotique. Parmi les psychoses alcooliques les plus connues, nous retrouvons le delirium tremens et la psychose de Korsakoff. On les rencontre chez 4% environ des alcooliques. Ces psychoses affectent généralement ceux qui ont assez bien supporté des doses excessives d'alcool pendant 10 à 15 ans sans témoigner de troubles apparents ou marqués[1].»

Delirium tremens

Définition

Le delirium tremens est une des formes de la psychose alcoolique. Il survient ordinairement à la suite d'un sevrage brusque d'alcool et se caractérise par le délire, de forts tremblements, des hallucinations visuelles horrifiantes qui redoublent ordinairement d'intensité dans l'obscurité.

Cause

- Consommation excessive d'alcool

Symptômes ou manifestations cliniques

- Anxiété
- Congestion du visage
- Insomnie
- Hallucinations horrifiantes (rats, serpents)
- Incohérence soudaine dans les idées
- Agitation
- Regard fixe
- Mimique effrayée
- Tremblements intenses et généralisés de tout le corps
- Transpiration
- Haleine fétide
- Température ascendante, pouls rapide
- Perte de l'appétit (anorexie)

Évolution

Affection qui dure quelques jours. Tout rentre dans l'ordre dès que le malade est traité. Certains malades, par contre, peuvent être sujets à des infections pulmonaires ou autres maladies à cause de leur malnutrition, ce qui rendrait le pronostic plus réservé. La mort peut survenir par défaillance cardiaque si le malade n'est pas surveillé étroitement.

---

1. Vanderveldt, T.H. et R.P. Odenwald, *Psychiatrie et Catholicisme*, «Siècle et catholicisme», Paris, Mame, 1954, p. 501.

Soins

Introduction

A l'époque du sevrage, l'alcoolique deviendra de plus en plus anxieux. L'alcool est un déprimant et l'organisme a fonctionné comme si des freins avaient été serrés. Subitement, on supprime l'alcool (les freins sont enlevés), ce qui cause un état d'agitation extrême. L'administration de certains sédatifs aidera le malade durant cette phase ardue. Celui-ci se trouve plongé dans un état pitoyable; il tremble de tous ses membres et il est effrayé à en perdre la tête. Plusieurs croient entendre des voix qui leur profèrent des menaces et des malédictions pour tout le mal qu'ils prétendent avoir causé et ces hallucinations les portent parfois au suicide. A ce stade, le malade a un extrême besoin d'être rassuré et réconforté. De plus une surveillance étroite doit être exercée à cause du risque de suicide.

Hygiène personnelle

Surveiller l'élimination de près.

Faire appel fréquemment à sa fierté personnelle. L'alcoolique est conscient de son apparence mais il aime qu'on lui fasse des compliments. Par exemple, ces malades aiment s'entendre dire qu'ils ont meilleure apparence; toutefois il ne faut le dire que si on le pense vraiment.

Alimentation

Ces malades ont bu beaucoup d'alcool mais absorbé généralement peu ou pas de nourriture; il est bon qu'ils mangent plutôt souvent et peu à la fois. Le régime doit être riche en vitamines.

Psychose de Korsakoff

Définition

La psychose de Korsakoff est aussi une des formes de la psychose alcoolique. Elle se produit rarement avant l'âge de 50 ans et résulte d'un empoisonnement de l'organisme par un usage prolongé d'alcool. Elle donne des répercussions majeures sur le système nerveux.

Cause

- Empoisonnement de l'organisme par un usage prolongé d'alcool

Symptômes ou manifestations cliniques

- Troubles de la mémoire, incapacité de retenir les événements récents

- Désorientation
- Changements d'humeur marqués
- Confusion de personnes
- Tremblements
- Fabulation
- Hallucinations visuelles et auditives

Évolution

La santé physique peut se rétablir mais le dommage psychologique est irréversible; on peut tout au plus espérer une amélioration. Le risque de suicide est très grand car le malade désespère souvent de sa guérison.

Soins

Le traitement consiste à désintoxiquer progressivement le malade. Repos au lit durant la période la plus aiguë. On doit donner beaucoup de vitamines et un régime riche en calories.

Les aspects psychiatriques des soins comprennent surtout les points suivants: prévenir le suicide, saisir l'importance du rôle sécurisant qu'il faut avoir auprès des malades qui ont beaucoup de difficulté à se détendre, à se concentrer et dont la mémoire fonctionne mal.

Autres états hallucinatoires alcooliques

Définition

Ce groupe comprend les états hallucinatoires dus à l'alcool qui ne peuvent être classés avec le delirium tremens ou la psychose de Korsakoff.

Cause

- Consommation excessive d'alcool

Symptômes

Les plus communs se manifestent par des hallucinations à contenu accusateur ou menaçant.

Paranoïa alcoolique

Définition

État paranoïaque qui survient chez les alcooliques chroniques, généralement chez les hommes.

Symptômes ou manifestations cliniques

- Jalousie excessive
- Idées délirantes d'infidélité conjugale de la part du conjoint

PSYCHOSES ASSOCIÉES À DES SYNDROMES CÉRÉBRAUX AIGUS

Elles peuvent être dues à:

des infections intracrâniennes,
des affections cérébrales,
des affections somatiques.

Ces syndromes sont tous caractérisés par des troubles réversibles de l'orientation, de la mémoire, des fonctions intellectuelles, des troubles du jugement et une superficialité de l'affect. Il peut y avoir en plus des troubles du sensorium des illusions, des hallucinations, du délire et de l'agitation.

3
MALADIE CÉRÉBRALE ORGANIQUE SANS PSYCHOSE

ÉPILEPSIE

ÉPILEPSIE

Définition

«L'épilepsie est un syndrome caractérisé par la répétition de crises qui sont les expressions cliniques d'une décharge anormale, soudaine, excessive et transitoire dans le système nerveux central[1].»

Le terme épilepsie vient d'un mot grec qui signifie «crise».

La majorité des personnes sujettes à des crises épileptiques sont, à tout autre point de vue, des personnes parfaitement normales. Une étude faite sur 2000 cas a démontré que 67% des sujets avaient une intelligence moyenne ou supérieure; 23% étaient légèrement au-dessous de la moyenne et seulement 10% montraient une insuffisance marquée d'intelligence.

Au cours des siècles, l'histoire nous a appris que plusieurs personnalités de grande renommée étaient épileptiques, entre autres l'écrivain Guy de Maupassant, l'écrivain russe Fiodor Dostoïevski, le grand violoniste Paganini et le peintre Van Gogh.

---

1. Guy Courtois, *L'épilepsie*, Montréal, Montreal Medical, 1960, p. 59.

Causes

«Toute lésion du système nerveux central peut donner naissance à un syndrome épileptique[1].»

Les causes qui demeurent les plus fréquentes sont:
- le traumatisme obstétrical,
- le traumatisme crânien,
- les tumeurs cérébrales,
- les accidents cérébro-vasculaires.

Mentionnons aussi certains facteurs qui peuvent déclencher l'apparition d'une crise épileptique. Les facteurs non spécifiques les plus courants sont:
- l'alcool,
- les changements humoraux de la période prémenstruelle ou menstruelle,
- les émotions trop fortes,
- le surmenage.

Symptômes ou manifestations cliniques

Dans la majorité des cas, la crise éclate soudainement et sans avertissement. Cependant, dans d'autres cas, la crise est annoncée par des prodromes éloignés ou immédiats qui constituent ce qu'on appelle une aura. Cette aura est le signal avertisseur d'une crise et est toujours la même pour le même individu (odeur, saveur, douleur, excitation marquée, etc.).

On classe habituellement les crises épileptiques en deux catégories: le grand mal et le petit mal.

Caractéristiques de la crise appelée grand mal

Les malades lancent un cri; il y a perte de conscience, puis des convulsions. Le visage est cyanosé et de l'écume apparaît à la bouche. Cette écume peut être sanguinolente s'il y a eu morsure de la langue ou de la joue.

Après la période convulsive, il peut y avoir relâchement des sphincters. A la période terminale, le sommeil est profond et la respiration stertoreuse. L'épileptique se réveille, après la crise, égaré et confus. Il y a toujours à ce moment une amnésie qui apporte au malade, à son réveil, un état de détente.

1. *Ibid.*, p. 59.

Caractéristiques de la crise appelée petit mal

Regard fixe, vague, immobile; faciès pâle. L'absence est de courte durée (1 seconde) et les fonctions reprennent ensuite bien leur cours.

Soins

Soins durant la crise

Ne pas changer le malade de place; le laisser étendu sur le dos.

Prévenir les morsures en plaçant entre les dents arrière et d'un côté de la bouche un objet qu'il ne pourrait avaler (ouvre-bouche, petit rouleau de papier).

Tourner sa tête de côté afin qu'il n'aspire pas sa salive au moment de l'aspiration finale.

Si la crise survient pendant un repas, si possible, placer la tête à un niveau plus bas que le corps et la tourner de côté, afin que la nourriture ou le liquide que le malade pourrait avoir dans la bouche n'entre pas dans les voies respiratoires.

Prévenir les blessures à la tête; se servir de n'importe quel vêtement.

Desserrer les habits, surtout autour du cou.

Si la crise survient la nuit, veiller à ce que le visage soit découvert sans quoi il y aurait suffocation.

Soins après la crise

Transporter le malade dans une chambre où il pourra se reposer.
Veiller à ce qu'il soit propre et sec.
Le surveiller jusqu'à ce qu'il ait repris connaissance.
Observer son comportement.
Voir s'il est blessé.

Observations particulières à noter

Le nombre ordinal des crises (1re, 2e)
Le moment d'apparition
L'aura (le malade vous renseignera sur ce point quand il aura repris conscience)
Le cri
La chute
Le début des convulsions (quelle partie du corps est d'abord affectée?)

L'inconscience
L'incontinence
L'insensibilité à la douleur
Les pupilles dilatées (la droite, la gauche, les deux) qui ne réagissent pas à la lumière
L'écume à la bouche
La morsure de la langue
Le ronflement (respiration stertoreuse)
La cyanose (degré et étendue)
La transpiration
La durée entière de l'attaque

Quelques points supplémentaires

Quelle était la situation ou quelles étaient les circonstances qui précédaient immédiatement la crise? Y avait-il des gens autour du malade et combien? Qui étaient ces gens?

La crise a-t-elle eu lieu pendant la nuit? Pendant que le malade dormait?

Les convulsions étaient-elles localisées à une partie du corps? Et laquelle?

Les yeux étaient-ils tournés d'un côté et vers lequel?

Le malade avait-il un comportement particulier juste avant la crise? Et après?

Relations interpersonnelles

Il faut encourager le malade épileptique à vivre aussi normalement que possible. Il ne doit pas accomplir de travail dangereux, mais cela n'est pas une excuse pour sombrer dans l'oisiveté. Il est indiqué de le tenir occupé le plus possible et de l'inciter à se mêler aux autres.

Ces malades ont surtout besoin d'un grand soutien affectif pour combattre les effets néfastes qui résultent souvent de leur rejet par la société mal informée et encore pleine de préjugés.

Milieu thérapeutique

A cause de ses crises, le malade épileptique a besoin d'un milieu rassurant où une surveillance étroite peut être exercée.

Il faut lui porter une attention très spéciale.

Alimentation

Les liquides: pas de boissons alcoolisées, c'est-à-dire ni vin, ni apéritif ou bière. Le thé ou le café forts sont aussi à déconseiller.

Diète riche en graisse selon la condition physique du malade.

Hygiène personnelle

L'élimination: surveiller la constipation.

L'activité: supprimer les exercices violents et tout ce qui peut causer de grandes fatigues physiques.

L'affectivité: autant que possible, éviter les émotions fortes car elles peuvent faciliter les crises.

4
PSYCHOSES NON ORGANIQUES

SCHIZOPHRÉNIE

Définition

Trouble affectif grave, d'intensité psychotique caractérisée par un retrait de la réalité et par des perturbations de la pensée, de l'affectivité et du comportement.

Il y a plusieurs formes de schizophrénie.

Causes ou facteurs qui y prédisposent

Age: il y a des périodes de la vie qui présentent des difficultés spéciales et la probabilité pour quelqu'un de présenter des accès schizophréniques augmente.

Sexe: les deux sexes sont également sujets à cette maladie.

Milieu social: des études sociologiques ont démontré que cette maladie sévit davantage dans les centres urbains et dans les régions surpeuplées et pauvres. On a établi aussi que les enfants des immigrants sont plus sujets que les autres enfants à souffrir de cette maladie.

Milieu familial: on a trouvé que les mères dominatrices et impulsives, que les mères anxieuses, agressives et froides et que les mères surprotectrices pouvaient engendrer des sujets qui devenaient parfois schizophrènes. Très souvent, le début des troubles schizophréniques remonte à l'enfance et est attribué à une ambiance ou à des situations traumatisantes au sein de la famille.

Symptômes ou manifestations cliniques

Autisme

Retrait du malade dans un monde fantaisiste qui devient sa réalité et le fait vivre dans un monde à lui, comme emmuré.

Il reste seul, ne communique avec personne, se confine parfois au même endroit, agit de telle sorte qu'on puisse l'oublier.

Il se retire des choses de la réalité pour se concentrer sur ses pensées irréelles, n'adresse presque jamais la parole, n'entame aucune conversation. Les gens et les choses qui suscitent normalement l'intérêt et évoquent des sentiments s'éloignent graduellement pour faire place à des êtres imaginaires parmi lesquels une personne saine aurait peine à s'y reconnaître. Ce retrait de la réalité n'est pas un phénomène qui se fait du jour au lendemain; c'est pourquoi il présente une évolution lente et progressive.

Apathie ou indifférence apparente

Appauvrissement de l'expression émotive du malade et manque d'intérêt à tout ce qui l'entoure. Il apparaît comme un être étrange et sans ambition, semble ne manifester aucune émotion et nous laisse croire qu'il ne désire aucun contact humain. Il paraît inaccessible, d'un abord difficile et même impossible à première vue. Il vit en dehors de la réalité quoique à des degrés divers.

C'est sans doute parce que, à l'origine de sa maladie, le malade a été très souvent lésé dans son besoin affectif qu'il se retranche dans une indifférence totale vis-à-vis des siens.

Incohérence du discours

Des hallucinations et des illusions apparaissent peu à peu. Beaucoup de schizophrènes présentent un discours décousu, incohérent, émettent des idées illogiques dont l'ensemble mal structuré et sans suite se réfère à des événements ou des circonstances irréelles et non systématisées. Très souvent, l'expression faciale du malade contraste du tout au tout avec le mode de pensée qu'il exprime.

Mur de verre

Regard bien particulier aux schizophrènes qui paraissent regarder sans voir.

Sentiment de dépersonnalisation

Perte de contact avec le réel et sentiment d'étrangeté ressenti envers le milieu et lui-même. Par exemple, le malade peut avoir l'impression que ses doigts allongent ou que ses membres se déforment.

Évolution

Lorsque les symptômes exigent un traitement, il y a déjà longtemps que la maladie a commencé. L'évolution est généralement très différente d'une personne à l'autre. Cependant, certains auteurs ont distingué quatre phases dans cette maladie:

1re phase: la personne lutte contre la maladie,
2e phase: elle abandonne la lutte et accepte sa psychose,
3e phase: apparition des symptômes de détérioration de la personnalité,
4e phase: désintégration progressive de la personnalité.

Cette évolution peut être très rapide ou durer des années.

Formes principales

Forme simple

Elle se développe graduellement et est irréversible.

Elle se caractérise par:
- un détachement progressif de l'environnement et des intérêts (apathie et indifférence),
- un appauvrissement dans les relations avec les autres,
- une diminution de l'activité,
- des manières bizarres,
- une grande fatigabilité,
- une incompréhension des événements, lesquels ne sont pas perçus comme des événements réels.

Ces malades n'ont généralement pas d'hallucinations. Les symptômes s'aggravent avec le temps et la détérioration mentale devient de plus en plus apparente.

Forme hébéphrénique

L'attaque est généralement soudaine. Elle se caractérise par une démonstration importance de tous les secteurs de la personnalité.

Affect inapproprié
Rires inadéquats, nerveux, inopportuns
Réactions émotives inappropriées
Maniérisme

Comportement enfantin, puéril, idiot, niais
Régression marquée (le malade joue avec ses selles, les avale)
Hallucinations actives, mouvementées

Forme catatonique

Elle peut apparaître subitement et être un effet secondaire d'une maladie ou d'un brusque choc émotif. Elle se caractérise par deux phases distinctes:

la stupeur: inhibition, inactivité, mutisme, attitude contractée de la tête aux pieds. Souvent ces malades n'avalent pas et n'urinent pas.

la surexcitation: activité motrice, excessive, agitation, hallucinations continues, rire explosif, maniérisme. Tout est fait selon des rites particuliers au malade. Il peut avoir des gestes impulsifs: assaillir, commettre un homicide.

La personne peut régresser jusqu'au stade végétal.

Forme paranoïde

Le début est ordinairement lent et se développe à un âge plus avancé. Cette forme se caractérise par une attitude fréquemment hostile et agressive, par du mécontentement, de la rancune, de l'irritabilité, par la présence d'illusions de persécution ou de grandeur souvent accompagnées d'hallucinations. (Le malade développe un mécanisme de projection qui le fait s'excuser en accusant les autres; il essaie de se prouver à lui-même que ce n'est pas lui qui a fait telle ou telle chose, mais un autre.) Dans certains cas, on peut constater une religiosité extrême. Le vêtement est quelquefois agrémenté de décorations plus ou moins bizarres.

Il peut y avoir aussi un sentiment d'omnipotence, de génie ou d'habileté spéciale.

Forme schizo-affective

On constate chez ces malades des symptômes schizophréniques accompagnés à la fois d'exubérance et de dépression prononcée.

Soins

Relations interpersonnelles

La communication avec les schizophrènes constitue un problème complexe.

Ils demeurent une profonde énigme, avec leurs communications subtiles, leur grand repliement et leur autoprivation étonnante en étendue comme en profondeur.

Il arrive souvent que le malade réponde de façon superficielle à nos efforts; une observation attentive révèle souvent qu'on ne l'a pas atteint. Ce trait distinctif a été comparé à un «mur de verre» ou «mur de glace» derrière lequel il se protège lui-même du contact avec le monde.

Et c'est effectivement ce mur, cette barrière qu'il faut franchir pour l'atteindre et cela nécessite sans aucun doute une patience sans borne, une bonne intuition, beaucoup d'attention et d'affection.

A quel genre d'attitude devons-nous avoir recours pour parvenir à établir une relation avec lui, pour être en mesure de l'aimer assez pour le convaincre que nous l'aimons vraiment et pour l'aider à exprimer ce qu'il veut dire?

Évidemment, le lui dire ne suffit pas. N'attacher de l'importance qu'à la communication verbale ne peut être satisfaisant non plus. Le moindre geste, la plus imperceptible expression de physionomie, l'odeur la plus insignifiante même peuvent être significatifs pour lui.

Bien souvent, entre ce que nous disons et ce que nous faisons il y a un parfait désaccord.

Il est donc important d'apprendre à évaluer l'effet de notre façon d'agir auprès de lui:
Quelle est l'intonation de ma voix avec ce malade?
Quelle est ma démarche?
Quels sont mes gestes, mes paroles?
Quelles sont mes mimiques?

Par exemple, si on aborde un patient schizophrène en lui disant d'une voix chaleureuse: «Bonjour, monsieur X... comment allez-vous ce matin?», mais qu'en apercevant sa blouse malpropre, nous faisons une moue de dédain, nous pouvons à ce moment échouer dans notre tentative d'approche, car pour lui cette seule mimique peut devenir très significative et il peut l'interpréter comme un rejet.

Cela ne veut pas dire cependant que le schizophrène est un être très fragile. C'est un être sensible, très troublé, mais fort, en dépit de ses troubles, car ceux-ci sont bien organisés dans son esprit.

Pour l'aborder, il est sûrement préférable au début de lui témoigner notre intérêt implicitement en profitant de toutes les circonstances. Par exemple, un sourire est parfois préférable à des paroles chaleureuses, car si on lui manifeste brusquement notre sympathie par des paroles, il peut craindre cette intimité, avoir peur de devenir dépendant et redouter ce rapprochement.

Il ne faut pas croire pour cela qu'on doive l'approcher avec trop de précaution, car cela pourrait lui faire croire qu'il est faible; il faut s'attendre à ce qu'il soit fort et profiter de toutes les occasions pour le lui démontrer.

Il ne serait pas indiqué non plus de le pousser de force dans la réalité, car il peut reculer encore plus profondément dans sa retraite solitaire. Il est préférable de diriger ses pensées et ses sentiments vers la réalité.

En résumé, il ne faut pas oublier «que les schizophrènes ont une crainte mortelle d'être négligés, rejetés, abandonnés, qu'ils sont incapables d'admettre ou de demander l'attention qu'ils requièrent[1]». Il faut, parfois, être aussi subtil que lui pour parvenir à saisir ses besoins.

Milieu thérapeutique

Le milieu thérapeutique qui doit l'entourer est une partie importante de l'ensemble des soins psychiatriques. Il a besoin d'un milieu apaisant, rassurant, d'une présence très discrète mais constante.

C'est un être anxieux et il se sent constamment menacé dans toute sa personne. C'est pourquoi il est important de créer autour de lui une ambiance apaisante; parfois un coin de pièce calme, des objets familiers, une fleur, un verre de jus de fruits peuvent lui fournir un sentiment de sécurité.

Le soignant doit aussi être très attentif aux problèmes de base, tels l'alimentation et l'hygiène personnelle. Ce malade vit dans un monde fort différent du nôtre, où tout a une autre signification pour lui; il ne se rend pas compte, bien souvent, qu'il a des besoins physiques. Et fréquemment, c'est en répondant d'abord aux besoins physiques du schizophrène qu'on parvient à l'atteindre.

Alimentation

Prédisposer le malade à manger, en gagnant sa confiance et son attention.

Essayer de découvrir pourquoi il ne mange pas. Bien souvent, le schizophrène obéit à des voix qui lui disent de ne pas manger.

---

1. Dr Roger Lemieux, «Psychothérapie de la schizophrénie» (non publié, Montréal, Institut Albert-Prévost), citant Frieda Fromm-Reichmann, *Psychoanalysis and Psychotherapy*.

Encourager son appétit en le nourrissant à la cuillère si c'est nécessaire et en suscitant son intérêt.

Retourner souvent auprès de lui pour voir s'il continue de manger, parce que sa capacité d'attention est de bien courte durée.

De légères collations données fréquemment sont parfois préférables à des repas copieux.

Présenter toujours des plateaux attrayants. Le faire manger en compagnie d'autres malades peut être stimulant. Si un gavage est prescrit, essayer d'abord de le décider à boire volontairement.

Hygiène personnelle

Le bain: un bain quotidien est nécessaire. Une vive friction de la peau, lorsqu'on essuie le malade, stimulera la circulation.

Les dents: il peut parfois suffire de mettre de la pâte dentifrice sur la brosse pour que le malade commence à se brosser les dents. Parfois, il sera nécessaire que vous vous occupiez du soin complet des dents.

L'élimination: le malade doit être, si possible, conduit à la toilette à des intervalles réguliers. Il peut, soit être incontinent, soit retenir ses selles et son urine. Il faut surveiller les signes de vessie pleine et de constipation. S'il lui arrivait d'avoir un accident, de se souiller avec ses matières fécales ou de s'en servir pour faire de l'art décoratif, il ne faudrait pas vous en émouvoir.

L'apparence: il faut se rappeler que ces malades vivent au ralenti et que souvent ils ne sentent pas leurs besoins. Vérifiez toujours leur tenue. Au premier signe d'intérêt, encouragez la malade à se maquiller. En attendant, veillez à ce qu'elle soit peignée et propre. Le malade doit être rasé et avoir une mise soignée.

La peau: si le malade reste longtemps dans la même position (stupeur), surveillez l'enflure des jambes et des pieds, s'il est debout, et les lésions cutanées, s'il est au lit.

D'autres psychoses se caractérisent par un seul trouble affectif, soit une extrême dépression, soit une exubérance qui domine la vie psychique du malade et qui explique toute perte de contact avec son entourage. Ce trouble affectif ne semble pas se rattacher directement à un événement imprévu de la vie, comme dans la psychose dépressive réactionnelle, par exemple.

Nous parlerons des principales psychoses affectives comme la mélancolie d'involution et la psychose maniaco-dépressive.

Définition

Il s'agit d'un trouble qui survient durant la période involutive appelée aussi période de la ménopause, chez la femme, qui se produit entre 40 et 55 ans environ et période du climatère, chez l'homme, qui se produit entre 50 et 65 ans environ. Ce trouble peut se caractériser par de l'inquiétude, de l'anxiété, de l'agitation, une insomnie tenace.

On constate fréquemment la présence de sentiments de culpabilité et de préoccupations somatiques qui se rapprochent parfois du délire.

Causes

La maladie peut être causée par une combinaison de facteurs physiques et psychiques.

Les facteurs psychiques semblent avoir plus d'importance. Peuvent se classer parmi ces facteurs:

la mort d'un proche parent,
les soucis financiers et professionnels,
des conditions familiales regrettables,
la dissociation du foyer,
la perte de sa jeunesse.

Symptômes ou manifestations cliniques

- Doute, indécision, crainte, anxiété, agitation
- Lassitude, incapacité (les facultés mentales deviennent moins agissantes)
- Insomnie
- Tendance à pleurer le passé et à s'imaginer qu'il n'y a plus rien à espérer de l'avenir, sentiment que sa vie est manquée
- Irritabilité

Symptômes physiques

- Sensation de tension dans la tête
- Rougeur du faciès
- Vertige
- Perte rapide du poids due à l'agitation et au refus de nourriture
- Constipation
- Démangeaisons (picotements)

Les hallucinations peuvent devenir terrifiantes et la désorientation peut augmenter dans la phase aiguë de la maladie.

Ces malades éprouvent pour la mort du désir et de la répulsion en même temps. Le risque de suicide est donc très grand.

Évolution

La maladie peut ne durer que quelques semaines si elle est traitée. Généralement, le traitement électroconvulsif (E.C.T.) est indiqué.

PSYCHOSE MANIACO-DÉPRESSIVE

Définition

C'est une maladie caractérisée par des attaques périodiques de dépression ou de manie, parfois des deux ensemble, avec un retour à l'état normal entre chacune d'elles.

Les crises de dépression sont plus communes que les crises de manie.

Dans chaque maladie, on note une tendance à suivre un cours particulier très défini: certains ne connaissent que des attaques de dépression (forme dépressive).

D'autres ne connaissent que des attaques de manie (forme maniaque).

D'autres encore connaissent les deux genres d'attaques (forme cyclothymique ou forme circulaire).

Différentes phases de la réaction maniaco-dépressive par rapport à un niveau normal de l'humeur

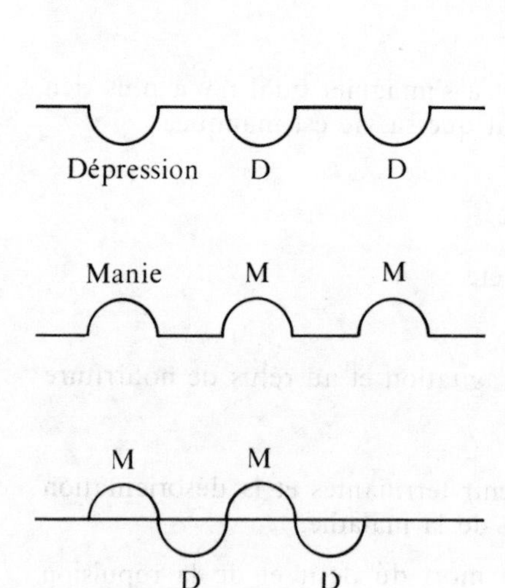

Forme dépressive: par opposition à la forme maniaque; caractérisée par l'hypoactivité, un ralentissement psychique, des idées délirantes empreintes de tristesse et de découragement, une diminution de l'activité physique et des fonctions physiologiques.

Forme maniaque: se manifeste par une activité excessive physique, verbale aussi bien que psychique.

Forme cyclothymique: périodes successives de manie et de dépression. Un commentaire fréquent au sujet du malade: «C'est la dernière personne que j'aurais cru menacée de folie.»

La personnalité de base peut être:

maniaque: le malade est gai, animé, sociable, débordant d'idées et de bonnes intentions mais tend à l'optimisme exagéré ou à l'inconstance et l'irresponsabilité,

dépressive: le malade est calme, replié sur lui-même et pessimiste,

cyclothymique: alternance de légère excitation euphorique et de légère dépression mélancolique.

Causes

- La cause exacte de cette maladie est inconnue.
- La perte d'un objet auquel la personne est liée de façon ambivalente est parfois un facteur déterminant.
- L'accouchement est souvent un facteur en cause.
- L'adversité ou les rebuffades sont d'autres facteurs possibles.
- Les premiers symptômes de la manie peuvent être accentués par le surmenage.

Une hypothèse parfois émise est que l'apparence physique est typique chez les personnes prédisposées à cette maladie:
taille courte, boulotte, à la Napoléon,
poitrine et abdomen larges avec excès de graisse.

Symptômes ou manifestations cliniques

Durant la phase maniaque

La tenue du malade est débraillée, désordonnée, extravagante.

- La physionomie, extrêmement mobile, exprime successivement une attitude enjouée, aguicheuse ou joviale, une irritation coléreuse, sarcastique ou amère et souvent une attitude érotique.
- Le langage est à l'avenant; le malade parle beaucoup. Ses bavardages intarissables, oiseux et encombrés de détails inutiles sont entrecoupés de vociférations, de cris, de chants, de déclamations, d'injures.
- L'agitation est extrême. Sans cesse en mouvement, le malade déplace les objets, les examine, les rejette ou les brise. Son besoin d'activité est impérieux et désordonné. Il éprouve également un besoin insatiable d'écrire en griffonnant sur toutes sortes de papiers, sur les murs de sa chambre, les draps de son lit, les serviettes de table et parfois sur ses vêtements.

• L'association des idées est superficielle. Il prononce des mots sans préoccupation de logique (assonances, rimes, slogans, jeux de mots).

• L'attention spontanée du malade s'éparpille du fait qu'il est extrêmement distrait. L'attention volontaire est impossible.

• L'alimentation est négligée; il n'a pas le temps de manger, ni de boire.

• Le sommeil est agité, même sous l'effet d'un calmant.

Tous ces troubles se résument dans un signe majeur, la fuite des idées, et il faut comprendre qu'il traduit l'exaltation de l'être tout entier.

Durant la phase dépressive

• La tenue du malade est négligée.

• La physionomie est prostrée; les gestes sont rares, indécis; la tête est humblement baissée; la tristesse ou le désespoir se lit sur le visage.

• Lenteur de la parole. Le malade parle très peu et d'une voix basse et lente qui exhale soupirs et lamentations.

• Diminution des activités physiques.

• Les idées défilent lentement dans son esprit, mais il garde habituellement sa mémoire intacte et beaucoup de lucidité.

• Sentiment d'ambivalence, d'indécision. Le malade est incapable de faire un choix, de prendre une décision.

• Sentiments de dépréciation et idées d'auto-accusation. Il est persuadé qu'il est désormais incapable de connaître le bonheur; il se sent indigne, inutile, coupable des pires méfaits et passe impitoyablement au crible son passé pour y retrouver les moindres fautes, même les plus légères.

• Idées de négation. Il se peut que le malade croie que ses propres organes ne remplissent plus aucune fonction, qu'il n'a plus d'estomac, plus de cœur, plus de cerveau ou même qu'il a cessé de vivre depuis longtemps.

• Idées et tentatives de suicide sont très fréquentes. La mort leur semble être la seule issue à leur tourment, soit que le malade veuille se punir lui-même de ses fautes, soit qu'il tente d'échapper ou d'aller au-devant du terrible châtiment qu'il croit lui être réservé.

- Absence d'appétit presque constante. Ceci peut devenir un refus farouche de s'alimenter dans le but de se laisser mourir de faim.

- Insomnie et parfois agitation.

Évolution

Durant la phase maniaque, l'état de surexcitation euphorique varie d'intensité: hypomanie, manie aiguë, manie délirante.

Le début de la crise peut avoir lieu soudainement ou s'étendre sur quelques jours. La crise peut durer de six à huit semaines et plus. Elle se termine généralement par un retour soudain à l'état normal, c'est-à-dire en quelques heures. Chez les personnes qui ont eu plusieurs crises ou leur première crise après l'âge de cinquante ans, l'état de manie peut devenir chronique.

Durant la phase dépressive, l'état de dépression varie d'intensité: dépression légère, dépression extrêmement profonde, stupeur.

Le début est soit lent, soit si soudain qu'on peut presque déterminer le jour et l'heure de la première manifestation. La crise a une durée variable de quelques semaines à plusieurs mois. Elle se termine quelquefois avec la même soudaineté qui a caractérisé son début.

Soins des personnes atteintes de psychose maniaco-dépressive

Introduction

La dynamique du malade déprimé et du malade surexcité est la même. Ces personnes sont fondamentalement ambivalentes, dépendantes, portées au narcissisme et prêtes à incorporer leur entourage.

Le malade déprimé souffre de la perte réelle ou imaginaire d'un objet aimé. Il conclut alors qu'il est responsable de sa perte et se sent peu à peu coupable. Il dirige son hostilité contre lui-même et commence à se détester, à se sentir inutile.

Il arrive aussi qu'il manifeste une attitude opposée et qu'il soit euphorique (malade surexcité). Ne pouvant plus supporter son sentiment d'inutilité, il le nie et soulage ainsi son anxiété. Cette négation l'aide à rendre la réalité plus acceptable pour lui-même et il régresse au stade de l'enfance où il était très heureux. Il a l'impression de renaître et c'est ce qu'on peut appeler l'euphorie.

Durant la phase maniaque

Relations interpersonnelles

Il semble assez difficile d'établir un contact humain avec un malade surexcité, tant ses allées et venues sont précipitées. On peut avoir l'impression qu'il nous fuit constamment, car souvent au moment de l'aborder, il a déjà disparu.

Mais bien qu'il soit très actif et qu'il nous donne l'apparence de se suffire à lui-même, il a besoin de se sentir en sécurité.

Bien souvent, cette activité impérieuse lui sert à camoufler son angoisse et sa grande insécurité. En adoptant une attitude chaleureuse à son égard, en lui offrant une cigarette, un jus de fruits, en saluant ses arrivées et départs, en faisant son lit, en l'aidant à se coiffer, bref, à force de sociabilité, on parvient à approcher ce malade, si agité soit-il.

Il requiert une attention constante, car il a besoin de parler, de s'exprimer. L'important est de ne pas paraître troublé par les propos décousus, désordonnés et même érotiques qu'il peut tenir.

Il ne servirait à rien non plus de tenter de le raisonner ou de discuter avec lui de son état actuel. Il est à ce moment incapable d'attention soutenue et ceci aurait pour effet de l'exciter davantage.

Le soignant doit apprendre à s'exprimer d'une voix calme et apaisante, exempte de reproche, afin de lui inspirer le plus de confiance possible. Ainsi, il pourra lui imposer certaines restrictions qui seront plus acceptables et moins menaçantes.

Il est bon de lui témoigner sa confiance, car en retour il donnera la sienne. Peu à peu, on l'amènera à prendre de petites responsabilités comme de ranger les chaises, faire son lit, débarrasser la table, etc.

Milieu thérapeutique

Le malade surexcité a besoin d'un milieu sécurisant où il se sente surveillé, aimé et accepté.

Il est important de lui fournir une occupation adéquate pour lui permettre de canaliser son surcroît d'énergie. La présence du soignant est nécessaire afin de lui rappeler constamment qu'il doit avoir une activité à la fois et la terminer, car il est porté à aller d'une chose à l'autre. Il faut aussi parfois pourvoir à ses besoins physiques.

Alimentation

Surveiller son poids car il dépense beaucoup d'énergie par ses multiples activités.

Lui donner beaucoup de liquides et le suralimenter. Il sera probablement plus facile de lui faire prendre plusieurs petits repas qu'un seul gros repas, car il ne peut s'arrêter assez longtemps pour prendre un bon repas.

Hygiène personnelle

Le bain: le bain chaud a un effet calmant.

L'élimination: à surveiller, parce que le malade est trop absorbé par ses activités pour se préoccuper de son élimination. Il refuse souvent d'interrompre ses activités même lorsque le besoin se fait sentir.

L'apparence: il a tendance à s'habiller de façon plutôt extravagante. On peut l'inciter d'une façon discrète à se vêtir de manière appropriée.

Durant la phase dépressive

Relations interpersonnelles

Contrairement au malade surexcité, le déprimé doit continuellement être stimulé à l'action. Le besoin fondamental reste cependant le même: la sécurité. Il est plus facile d'entrer en contact avec un tel malade, car il réclame d'une façon plus évidente une présence, une sécurité. Ce malade, très sensible, remarque tout ce qui l'entoure: on doit lui expliquer chaque traitement qu'il reçoit, l'encourager continuellement à se joindre aux divers groupes, l'inciter graduellement à prendre lui-mêmes ses propres décisions. Plutôt que de discuter avec lui de son sentiment d'inutilité, il est préférable de l'inviter à se joindre à un groupe ou à participer à une activité où il se sentira utile.

Une attitude chaleureuse et compréhensive peut l'aider à se sentir accepté. Il ne faut cependant pas se montrer trop gai avec lui, le contraste lui étant très difficile à supporter.

On doit aussi l'observer très sérieusement dans son comportement, dans ses propos et remarquer s'il fait des allusions directes ou indirectes au suicide. Le risque de suicide est toujours un problème très sérieux avec ce malade et toute allusion à ce sujet doit être rapportée à l'équipe afin d'assurer une surveillance plus étroite.

Milieu thérapeutique

Nous ne devons pas oublier que le malade déprimé dont la dépression est psychotique a les mêmes besoins que celui dont la dépression est névrotique et que, par conséquent, les soins sont les mêmes.

Étant donné que les symptômes sont plus accentués chez le malade psychotique, l'attention doit se porter d'une façon plus marquée sur les soins physiques.

Alimentation

Prendre pour acquis que le malade va manger. Surveiller la quantité de nourriture absorbée. S'il refuse de manger, chercher à découvrir pourquoi. Faire manger à la cuillère au besoin. Il peut devenir nécessaire d'utiliser le gavage ou les solutions i/v, mais il ne faut jamais se servir de ces traitements pour menacer le malade.

Hygiène personnelle

Le bain: une friction vigoureuse après le bain peut avoir un effet stimulant.

Les dents: il peut être nécessaire que vous vous occupiez entièrement du soin des dents.

L'élimination: à surveiller car il ne porte souvent aucune attention à ce problème. D'autres fois, le contraire se produit et il réclame constamment des laxatifs; il faut s'assurer que ces demandes sont réellement justifiées.

L'apparence: c'est la responsabilité du personnel, car souvent il ne se préoccupe aucunement de son apparence.

La peau: à surveiller, car parfois, il a des lésions à force de se gratter ou de frotter un même endroit.

Soins des malades suicidaires

Introduction

L'être humain possède en soi une extraordinaire puissance de haine, égale en quelque sorte à sa puissance d'aimer. Or, lorsqu'une personne subit dans sa vie quotidienne un choc qui dépasse ses forces, l'équilibre est rompu entre les deux puissances. Chez les êtres déprimés, c'est la haine qui bientôt l'emporte. Dans le contexte de la vie sociale, toute expression d'hostilité intense étant répréhensible et inacceptable, la personne fait l'impossible pour combattre l'hostilité qui est en elle, cherche à la masquer et, bien entendu, se fait un reproche constant d'être incapable de vaincre un sentiment aussi excessif. Or, l'incapacité de refouler des sentiments répréhensibles crée un état de mauvaise conscience et bientôt le malade en arrivera à déclarer ouvertement qu'il ne mérite aucun soin et qu'il est indigne des attentions que lui porte le personnel soignant.

Au lieu d'accepter les soins que son état requiert, le malade peut se livrer à des plaintes somatiques, celles-ci étant socialement acceptables.

C'est ainsi que nous pouvons observer des désordres gastriques, de la constipation, des palpitations, manifestations qui, en progressant, arrivent à créer un état de prostration. Il se peut que le malade déprimé, troublé, ahuri, dise qu'il n'a plus d'estomac, plus d'organe d'ingestion, etc. En proie à une hostilité latente, plein de remords, il en arrive au point où il croit que la seule façon d'en sortir est de s'enlever la vie! Le raisonnement peut être simple: débarrasser la terre d'un personnage extrêmement hostile qui doit se punir de l'être à ce point. Et en contrepartie de ce raisonnement, il y a la réflexion enfantine qui peut se traduire ainsi: «Je vais disparaître et «ils» seront bien punis!» Non seulement il cherche à s'imposer un châtiment, mais il entend de plus (selon son raisonnement) punir les siens envers lesquels il se découvre en état d'hostilité.

Ces personnes pour lesquelles la vie se révèle un fardeau si lourd qu'elles n'ont plus le courage de le porter sont aux prises avec de sérieux problèmes émotionnels.

Certes, les cas de dépression profonde peuvent varier et offrir des aspects différents selon les personnes mais chez toutes on observe un désintéressement total pour la vie et ses joies. Ayant échoué dans sa tentative de suicide, le malade peut se dire que même là il est un raté lamentable. Fréquemment, il répetera qu'il ne vaut rien et que, sur le plan de la vie, sa personnalité ne correspond plus à rien de valable.

Quels pourraient être les symptômes apparents chez un malade suicidaire?

- Un désintéressement à l'égard de la vie et de l'entourage (isolement)

- Un ralentissement moteur (mouvements ralentis, air abattu, expression triste)

- Une diminution du débit verbal (choix limité dans les sujets de conversation et parfois mutisme complet)

- Une insomnie fréquente (spécialement aux premières heures du jour; au moment où il voit une autre journée commencer, le courage lui manque pour l'entreprendre et le désir de suicide peut s'accentuer)

- Une perte de poids et d'appétit

- Des malaises physiques, tels des troubles gastriques, de la constipation, des maux de tête, etc.; c'est comme si le corps participait à ce refus de la vie

- Des menaces de suicide

- Des sentiments de culpabilité, de désespoir et d'indignité accompagnés de tension et d'agitation

Quels seraient les facteurs psychologiques ou les motivations inconscientes qui amènent le malade au suicide?

Le malade déprimé peut tenter de se suicider parce que la vie lui paraît insupportable et absurde ou bien parce qu'il se croit incurable et veut mettre un terme à sa souffrance ou encore parce qu'il se croit tellement coupable qu'il va au-devant de la mort.

Très souvent, il peut éprouver un profond sentiment de haine à l'endroit d'une personne qui ne lui accorde pas l'amour qu'il attend d'elle; il peut alors inconsciemment désirer tuer cette personne. Par ailleurs, il est incapable de le faire, soit parce que la personne est trop puissante ou menaçante, soit parce que l'ambivalence entre ses sentiments d'amour et de haine l'en empêche, ou parce que certaines circonstances rendent impossible ce geste agressif dirigé contre cette personne. Il retourne alors ses sentiments d'agression contre lui-même et symboliquement lorsqu'il se tue il tue aussi l'autre personne.

D'autres auteurs ont noté la présence d'un élément de vengeance dans chaque suicide: le suicide est toujours dirigé contre une personne qui occupe une place très importante dans la vie de la victime. Le but du suicide serait alors de punir cette personne de ses torts réels ou imaginaires et l'on a pu remarquer que les notes écrites par le suicidé avant sa mort lui sont souvent adressées.

Certains suicides dramatiques (par exemple, la personne qui va se jeter en bas d'un édifice) peuvent être une manière de protester contre l'indifférence d'une société qui ne lui vient pas en aide.

Rôle du soignant

Le soignant doit apprendre à détecter par une observation minutieuse les moindre signes susceptibles de laisser entrevoir des idées suicidaires chez un malade et en aviser aussitôt l'équipe.

Il doit être constamment à l'affût de tous les symptômes qui apparaissent et les rapporter soigneusement. Ce sont autant de façons que le malade utilise plus ou moins consciemment pour montrer sa dépression et l'intensité de ses idées suicidaires.

Parfois, il accepte difficilement les soins et peut même décider de faire la grève de la faim. Dans certains cas, il devient très hostile aux soignants. Ceux-ci ne doivent pas s'irriter de la décharge d'hostilité que le malade peut déverser sur eux. Les sentiments négatifs verbalisés ou exprimés par le malade ne sont pas dirigés contre eux personnellement, mais sont le fait d'une hostilité longuement refoulée et retournée contre lui-même. L'essentiel est qu'il ait confiance en l'équipe et qu'il comprenne qu'elle n'est pas ébranlée par ses manifestations hostiles ou ses tentatives suicidaires. Il pourra se sentir ainsi plus rassuré et dans un climat de sécurité.

S'il persiste dans son refus de s'alimenter, on devra à ce moment faire preuve de réalisme. Si la présentation des aliments d'une façon attrayante et la proposition de l'aider à s'alimenter ne suffisent pas, il faudra alors l'aviser que pareil comportement va obliger le personnel à employer d'autres méthodes. L'alimentation étant nécessaire, il faudra sans doute recourir au gavage.

Lorsqu'un malade a fait une tentative de suicide ou exprime verbalement ses idées suicidaires, il est très important de mettre en œuvre le meilleur dispositif de sécurité. Le suicidaire prend tous les moyens pour attenter à sa vie: il se sert des objets les plus usuels (couteau, vitres, lames, ciseaux) comme des objets les plus simples (boutons, crayon, pince à cheveux) pour mettre à exécution son plan de destruction.

Tout peut servir d'armes; il est donc nécessaire d'assurer une surveillance étroite mais discrète 24 heures par jour.

Il faut sans cesse se rappeler qu'aussi calme que puisse paraître un malade suicidaire, il est constamment en état de tension sous son apparente apathie. Il notera les changements de personnel; il saura à quel moment précis la surveillance est moins intense et c'est durant ces minutes-là qu'il peut tenter de s'évader... par le suicide.

Quelles sont les mesures de précaution à prendre avec un malade suicidaire?

Savoir où se trouvent les malades dont on a la charge, à quoi ils s'occupent, et ceci en tout temps.

Rapporter à l'infirmier(ère)-chef ou la personne en charge, les symptômes physiques tels que les étourdissements, les nausées ou toute autre attitude suspecte (empoisonnement).

Chercher la cause de tout bruit insolite et ce immédiatement.

Encourager le malade à avoir des rapports sociaux.

Ne lui remettre que sous surveillance étroite les articles de toilette tels que rasoir, ciseaux et lime à ongles ou autres objets tranchants.

Être particulièrement attentif lorsqu'on brise un verre ou un morceau de vaisselle de façon à ce que toutes les pièces soient ramassées immédiatement et s'assurer qu'il n'en manque pas. Il se pourrait qu'un malade s'empare d'un morceau de verre et qu'il l'utilise pour tenter de se suicider.

Vérifier soigneusement le contenu des colis que reçoit le malade et conserver la ficelle d'emballage qui pourrait lui servir d'arme de suicide.

Compter avant et après chaque repas les ustensiles; s'il en manque, avertir la personne en charge.

S'assurer que tous les médicaments sont bien avalés. Très souvent, il peut accumuler des pilules en les cachant sous la langue et constituer ainsi une dose importante; absorbée en une seule fois, cette dose pourrait être mortelle. Il est préférable d'utiliser la médication sous forme liquide à cause des raisons mentionnées plus haut.

Exercer une surveillance étroite lorsqu'il se rase et lorsqu'il prend un bain ou une douche.

Tenir hors de portée les plateaux à pansements, l'alcool, l'iode et les autres médicaments.

De la même manière, il faut exercer un contrôle sur les appareils électriques qu'il utilise, le fer à repasser, le grille-pain ou encore les allumettes, la literie et se rappeler que le malade peut utiliser un drap ou une autre pièce de lingerie pour fabriquer une corde et se pendre.

Il est nécessaire de fermer à clé, si possible, les salles de bain, car il pourrait fort bien tenter de se noyer dans la baignoire ou le lavabo, voire même dans les toilettes.

Il est important de surveiller les fenêtres et les escaliers afin qu'il ne se jette pas en bas.

Le soignant qui a la responsabilité de surveiller un malade suicidaire ne doit cependant pas afficher sa tension de façon à ce que la surveillance devienne irritante.

A l'instant où il comprend qu'il a une mission de sécurité il peut être, sans aucune tension, constamment en alerte.

Qu'un accident puisse toujours être possible ne doit pas le terrifier. La seule pensée d'un danger toujours présent doit l'aider à mieux saisir la complexité de la sauvegarde d'un être humain farouchement déterminé à en finir avec la vie.

RÉACTIONS PARANOÏDES

Définition

Ce sont des troubles psychotiques qui montrent un délire persistant habituellement grandiose ou un délire de persécution sans la présence d'hallucination. L'intelligence est conservée; le comportement et les réponses émotionnelles du malade concordent avec ses idées délirantes. On divise ces réactions en deux sous-groupes:

la paranoïa,
l'état paranoïde.

La paranoïa

C'est une psychose très rare qui se caractérise par un système délirant qui se développe lentement. Ce système est très intriqué, complexe et logique dans son élaboration et est sans hallucination. Le système paranoïde est plus ou moins isolé de sorte que, en superficie tout au moins, le reste de la personnalité demeure relativement intact, même si le cours de la maladie est très long et insidieux. Le malade paranoïaque croit souvent posséder des habiletés et des capacités supérieures et uniques.

L'état paranoïde

Les états paranoïdes sont des psychoses caractérisées par des délires paranoïdes qui, contrairement aux délires de la paranoïa, ne sont ni hautement systématisés ou élaborés, ni fragmentés et bizarres, contrairement à la schizophrénie paranoïde. Il n'y a pas de détérioration de la personnalité. La maladie peut être de courte durée quoique parfois elle passe à la chronicité.

Soins

Introduction

Le malade qui a un comportement caractérisé par une méfiance pathologique réagit à sa propre insécurité. Cette attitude peut provenir de ce que, dans son enfance, on lui ait demandé d'accomplir des tâches qui étaient au-dessus de ses capacités et qu'ainsi il en soit venu à douter de lui-même.

Relations interpersonnelles

Le premier but est de sécuriser le malade vis-à-vis des relations interpersonnelles, car il se sent continuellement menacé par la présence des gens. On peut le faire en le valorisant, en lui montrant son importance mais sans exagérer et en essayant aussi de réduire ses propres exigences pour atteindre la perfection.

Évidemment, avant d'atteindre ce but, il y a des obstacles; ce sont les symptômes qui constituent sa personnalité, comme:

une attitude de supériorité qu'il peut adopter. Cette attitude n'est qu'un masque qui cache le doute qu'il a de lui-même et son besoin réel de s'estimer. S'il était vraiment supérieur, il n'aurait pas besoin d'adopter cette attitude. On devrait donc l'encourager à accomplir des tâches pour lesquelles il a une réelle habileté et, dans les cadres de cette réalité, lui permettre de se valoriser;

une attitude sarcastique pour ridiculiser les autres. Par cette attitude, il renforce sa supériorité et se donne de l'importance. Par exemple, en diminuant le statut des autres, il sort vainqueur de toutes les comparaisons qu'il fait. Ce comportement qui provoque les autres et les fait réagir contre lui peut être une façon de vérifier et de justifier la méfiance qu'il a toujours eue vis-à-vis des autres. Il serait bon alors de lui porter beaucoup d'intérêt lorsqu'il n'a pas cette attitude dans ses relations avec les autres;

un orgueil extrême et une vive sensibilité. Cela exige du personnel beaucoup de tact et de courtoisie. Une attitude ironique ou méprisante pourrait détruire toutes les relations déjà établies. Si on reconnaît et si on respecte ces points sensibles de la personnalité, il sera moins porté à devenir agressif pour prouver sa force;

une insistance sur le statut social. Lorsqu'il insiste beaucoup sur son statut social et sur le prestige qu'il a dans la société, il provoque des difficultés interpersonnelles qui sont souvent insupportables. A ce moment-là, il s'éloigne en se plaçant sur un piédestal vis-à-vis des autres et du personnel. Quelquefois, il s'identifie au personnel et essaie d'avoir des relations plus étroites avec ce dernier afin de jouir d'un statut spécial comparativement aux autres malades. Si ce comportement est accepté calmement par l'équipe, il consentira sans doute plus facilement à se joindre au groupe de malades. Cela peut lui permettre d'acquérir un statut et un prestige par un accomplissement personnel et constructif;

une tendance à mal interpréter les situations. Elle aussi doit être reconnue. Par exemple, si on doit relever une erreur dans un travail qu'il accomplit, il y a de fortes chances qu'il se rappelle exclusivement de la remarque; il y réagira alors plus fortement qu'à une louange. A ce moment-là, il semble inutile de le raisonner ou d'employer la logique pour lui faire accepter une remarque. Au contraire, il est préférable de se montrer indulgent et de se dire que c'est un symptôme de sa pathologie. Ce malade ne peut commencer à se regarder plus objectivement que lorsqu'il sent que son agressivité et son comportement sont acceptés par les autres;

l'égocentrisme, l'inflexibilité et l'incapacité à accepter le point de vue des autres. Cela aussi doit être reconnu et accepté si l'on veut que les soins soient constructifs. C'est seulement lorsqu'il se sentira plus en sécurité qu'il pourra se permettre de quitter cette attitude rigide.

Essayer de le raisonner afin qu'il accepte mieux le point de vue des autres ne fait que le rendre irritable et le mettre dans l'insécurité. Cette attitude lui demande une compréhension dont il n'est pas capable et ne fait qu'augmenter le doute qu'il a de lui-même.

Milieu thérapeutique

Ce type de malade, par son attitude de supériorité, provoque habituellement l'hostilité des autres, ce qui lui permet de continuer à dire qu'il a bien raison de se méfier de tout le monde. Le milieu thérapeutique tentera de rompre ce cercle vicieux en créant un climat sécurisant, c'est-à-dire en lui permettant d'exprimer son agressivité sans danger de représailles (sans qu'on devienne agressif avec lui).

Ce malade a besoin de réussir quelque chose par lui-même; il est donc important d'être attentif à ne pas lui présenter des tâches au-dessus de ses capacités afin qu'il n'essuie pas d'échec et ne perde ainsi confiance en lui. Souvent, pour s'assurer de sa valeur, il essaie d'avoir de brillantes discussions intellectuelles avec le personnel ou les autres malades; le fait de l'arrêter brusquement ne peut que renforcer sa méfiance. D'autre part, une attitude hostile peut lui donner l'impression qu'on est jaloux de sa supériorité et peut l'inciter à conserver cette attitude. Le milieu devrait donc être capable d'accepter le besoin qu'il a de se montrer supérieur en tout point. Une attitude d'acceptation du personnel lui permettra peu à peu de devenir lui-même.

L'environnement thérapeutique doit aussi lui offrir l'occasion d'établir des relations interpersonnelles constructives. Pour ce faire, on devra l'aider à trouver des amis stables avec qui il pourra échanger des idées et ainsi poursuivre des relations.

Les idées que le psychotique exprime sont d'une extrême importance. Nous pouvons trouver absurde qu'il nous raconte, par exemple, qu'il est poursuivi par le service secret ou que son entourage lui veut du mal, mais il demeure souhaitable de garder une attitude neutre: n'accepter, ni refuser ce qu'il dit. Durant cette phase aiguë, il est certes très important de l'écouter car, à cette période de sa maladie, il est beaucoup plus intéressé par ce que lui-même pense et ressent que par ce que les autres pensent. Il faudrait éviter de le contrarier brusquement et essayer de lui faire voir que ses propos sont un nonsens car il n'est pas prêt à envisager la réalité et croit réellement ce qu'il pense et dit.

Avec le psychotique, un problème se pose souvent au niveau de la nourriture à cause de sa grande méfiance et son délire de persécution. On pourrait, par exemple, lui permettre de vérifier que la nourriture n'est pas empoisonnée s'il en montre le désir, l'amener pour la préparation des plateaux, lui offrir des œufs dans leur coquille ou un jus de fruits dans la boîte, goûter les aliments en sa présence.

Autant que possible, il faut éviter le gavage qu'il peut interpréter comme une attaque.

5
NÉVROSES

NÉVROSE D'ANGOISSE
NÉVROSE HYSTÉRIQUE
NÉVROSE OBSESSIONNELLE
DÉPRESSION NÉVROTIQUE

NÉVROSE D'ANGOISSE

Définition

«Cette névrose est caractérisée par une grande inquiétude pouvant aller jusqu'à la panique et fréquemment accompagnée de symptômes somatiques. L'angoisse peut se produire dans n'importe quelle circonstance et n'a pas trait à un objet ou une situation déterminée. Il importe de la distinguer des sentiments normaux d'appréhension ou de peur, lesquels sont liés à des situations présentant réellement un danger[1].»

Causes

Le principal facteur qui prédispose à cette maladie serait dû à un climat de frustration pour l'enfant attribuable, soit à une carence affective véritable, soit à l'attitude peu affectueuse de la mère à l'égard de son enfant. De plus, il peut exister un climat anxiogène, entretenu par des parents eux-mêmes anxieux qui surveillent excessivement leur enfant, le préservent des contacts avec le monde extérieur, lui en grossissent les dangers et ainsi le conditionnent, si on peut dire, à l'angoisse qui est alors acquise par contamination.

---

1. *Manuel de classification des diagnostics psychiatriques*, Ottawa, Bureau fédéral de la statistique, mars 1969, p. 34.

Un des facteurs qui déclenche la maladie peut être un traumatisme émotionnel, violent, inhabituel et soudain.

Symptômes ou manifestations cliniques

Dans la névrose d'angoisse, forme chronique

L'attente anxieuse. C'est le symptôme essentiel et toujours présent. La conscience est infiltrée par une angoisse flottante qui imprègne d'appréhension et d'insécurité toute l'existence et toutes les opérations psychiques de la personne.

L'excitabilité générale. C'est ce qu'on appelle communément «la nervosité». Il s'agit d'une hyperactivité générale qui traduit un état permanent d'alerte et de tension. Le sommeil est presque toujours perturbé, long à obtenir, agité, entrecoupé de cauchemars, écourté et peu reposant.

Dans la névrose d'angoisse, forme aiguë

Le malade est emporté par le vertige d'une angoisse intense; il est pâle et a le regard inquiet et la mimique contractée; il suffoque, supplie qu'on le secoure et crie quand sa voix n'est pas étranglée. Il a l'impression qu'un étau serre son thorax; il étouffe, croit que son cœur gonfle et va éclater, qu'il va mourir ou devenir fou. Cette angoisse est accompagnée de véritables douleurs physiques qu'il ressent au niveau de l'estomac, du thorax, du cœur, du ventre, etc. Il peut avoir des palpitations, des maux de tête intenses, du mal à respirer, des nausées, des vomissements, des coliques, de la diarrhée, des sueurs abondantes, etc. Le malade peut s'agiter, fuir d'une façon désordonnée, trembler de tout son corps, frissonner, être extrêmement agité ou avoir une crise de nerfs. Par contre, il peut aussi rester sidéré, crispé comme par une peur panique et comme si le moindre mouvement devait précipiter sa mort.

Dans les deux cas, seule la présence rassurante d'une personne chaleureuse peut apaiser le malade.

Évolution

Dans la névrose d'angoisse, forme chronique

Ce genre de névrose est beaucoup plus difficile à traiter à cause, justement, de la chronicité et de la durée de la maladie. C'est ce qu'on appelle communément «les petits anxieux» dont la vie est un tissu d'insécurité et d'inquiétude. Souvent, leur personnalité peut se décomposer et ils deviennent des alcooliques, des toxicomanes, etc.

Dans la névrose d'angoisse, forme aiguë

Le propre de cet état est de ne pas durer. C'est souvent ce genre d'état aigu qui est le plus favorable à la thérapeutique psychiatrique, justement, parce qu'à cette période la maladie dont les symptômes ne sont pas encore complètement organisés est beaucoup plus susceptible d'être combattue par un traitement psychiatrique et même psychanalytique.

Soins

Il peut être assez difficile de soigner le malade névrotique car on ne voit pas toujours le comportement maladif. De prime abord, il semble réagir normalement, car il circule librement et pourvoit lui-même à ses besoins physiques (manger, s'habiller, se coiffer, se laver, etc.). Bien souvent, on peut croire qu'il se plaint de malaises physiques pour attirer notre attention ou pour obtenir quelque chose. Si l'on cherche à saisir ce que le malade réclame à travers ce comportement en se demandant:

«Qu'est-ce que ça veut traduire?

Qu'est-ce qu'il veut nous dire?»

plutôt que de penser, par exemple, qu'il est infantile ou que c'est un «malade imaginaire», on peut se rendre compte qu'il a des besoins humains, tels des besoins d'amour, de sécurité, d'estime de soi, qui n'ont pas été satisfaits au cours de sa vie. Se sentant frustré, abandonné, il ne peut réclamer ce qu'il désire vraiment que par des moyens détournés, de peur de se les voir refuser.

Souvent ce malade a peur et se sent seul. C'est à ce moment qu'il fera maintes demandes, directes ou indirectes. Ce qu'il réclame à travers ces demandes, bien souvent, c'est une présence. Parfois, le simple fait de lui offrir une cigarette, un jus de fruit, de lui proposer une activité peut lui donner une impression de sécurité.

Si le malade a ces réactions, c'est que, fréquemment, il n'a que cet outil pour soulager son anxiété. Il faut donc comprendre que les malaises physiques qu'il éprouve échappent à son contrôle, qu'il les extériorise pour soulager sa tension et que les douleurs dont il se plaint lui sont réellement présentes, même s'il n'y a pas de base organique. Il est bon de se rappeler que la douleur provoquée émotivement est aussi difficile à supporter que le malaise physique lui-même.

NÉVROSE HYSTÉRIQUE

Définition

C'est une réaction contre les difficultés de la vie qui se produit chez certains types de personnes. Cette disposition mentale particulière peut être accidentelle et passagère. Les symptômes apparaissent et disparaissent subitement dans des situations à très forte charge émotive et ils symbolisent les conflits qui sont à leur origine. Il est souvent possible de modifier les symptômes par simple suggestion. Il y a plusieurs sortes d'hystéries.

Causes

Il peut y avoir diverses causes; les plus courantes sont dues à des conflits affectifs refoulés ou à une incapacité de s'adapter vis-à-vis une situation de vie nouvelle. Les symptômes peuvent donc survenir à la suite d'une émotion, d'un conflit ou d'un traumatisme affectif net ou caché.

Symptômes ou manifestations cliniques

- Immaturité émotionnelle
- Suggestibilité
- Habileté à attirer l'attention
- Dramatisation facile des événements
- Susceptibilité
- Manipulation (habile à la supercherie)
- Somatisations
- Mutilation volontaire

Évolution

Les symptômes peuvent être maintenus si leur persistance est nécessaire aux avantages qu'ils procurent ou s'ils évitent au sujet une angoisse intolérable.

Généralement, la psychothérapie ou la psychanalyse sont des thérapeutiques bien indiquées pour des cas de névrose hystérique.

Soins

Introduction

A un souhait, un désir ou une situation qu'il ne peut consciemment accepter, le malade hystérique substitue souvent une manifestation physique quelconque. Cette solution a, pour lui, une valeur bien définie: son véritable problème subsiste toujours, mais ne l'embarrasse plus, car les modifications symptomatiques qu'il présente lui sont une «solution» plus acceptable.

Il ne se soucie pas du vrai sens de la situation et ne voit pas non plus le rapport qui existe entre lui et son problème. Malgré cette dissociation, les opérations de la pensée ne sont pas désordonnées.

Le choix et la localisation du symptôme ne sont pas accidentels bien qu'inconscients. Ils sont plutôt symboliques et le symptôme est souvent en rapport direct avec ce qu'il veut masquer. On a vu que ceux-ci peuvent survenir à la suite d'une émotion, d'un conflit ou d'un traumatisme affectif net ou caché. Par exemple, le père (détesté) meurt d'une affection cardiaque, le fils développe des symptômes identiques en l'absence de l'affection cardiaque.

Quelle que soit la manifestation, il ne faut jamais oublier que ces états sont réels pour le malade. Il possède néanmoins une certaine habileté à tirer parti des situations afin d'obtenir le plus d'attention possible. Même si sa façon de procéder nous paraît parfois gauche et peu honnête, ses intentions demeurent précises: il veut être aimé.

Relations interpersonnelles

Il est primordial de gagner sa confiance par une attitude chaleureuse et stable. Il ne faut jamais sous-estimer ses plaintes, en lui disant qu'elles n'ont pas leur raison d'être, mais plutôt lui témoigner de l'intérêt en dirigeant son attention vers autre chose chaque fois que l'occasion se présente.

Chaque aspect de son comportement reflète sa maladie. Si l'on parvient à admettre son comportement en soi sans le juger ni le condamner parce qu'il ruse ou essaie d'attirer l'attention, il se sentira accepté et les possibilités de l'atteindre augmenteront. Cependant, l'équipe doit s'efforcer de maintenir l'équilibre, la stabilité dans son attitude. Il est inutile de suivre une méthode rigoureuse si une autre personne agit contre cette méthode, car c'est alors le malade qui en souffre. Il se sentira balancé entre deux pôles et cela ne fera qu'augmenter son anxiété et accentuer ses malaises.

Milieu thérapeutique

Avec ce genre de malade, il se pose toujours le problème suivant: jusqu'où peut-on aller dans l'application sévère d'un régime? Faut-il le laisser agir à sa guise? Il faut parfois imposer un sérieux contrôle, comme le fait de lui donner ses médicaments seulement aux heures prescrites et non chaque fois qu'il en réclame. Il acceptera plus facilement le contrôle si on lui explique le but des limites qui lui sont imposées; à ce moment, il comprendra qu'on agit ainsi pour l'aider et non pour se débarrasser de lui, pour avoir la paix ou encore pour le punir.

Il ne faut pas pour cela négliger le besoin d'appui ressenti par ce malade; il a besoin autant qu'un autre de se sentir en sécurité et d'être aimé. C'est au moment où il se sent repoussé qu'il peut se porter à n'importe quelle extrémité pour obtenir à sa façon un peu de compréhension. Ses méthodes ne sont pas toujours adéquates, mais il utilise ce qu'il croit être la meilleure façon d'obtenir ce qu'il réclame: l'estime. Ainsi il pourrait aller jusqu'à la tentative de suicide, croyant qu'elle est un moyen efficace de centrer l'attention autour de sa personne. C'est pourquoi *on doit prendre au sérieux toute menace de suicide.* D'abord, le malade pourrait surestimer son habileté à contrôler la situation et la mort pourrait s'ensuivre: une trop forte dose de narcotiques ou une erreur de temps pourraient causer sa mort, ce qui en réalité n'était pas son but. En second lieu, se moquer de lui pourrait le pousser à une tentative encore plus sérieuse, car il pourrait percevoir, à ce moment, que vous ne lui supposez ni le courage ni le réel désir de mourir.

S'il fait une tentative de suicide, l'angoisse qui en résulte doit être apaisée immédiatement afin d'éviter une surexcitation ou une réaction dramatique à la suite de cette situation.

NÉVROSE OBSESSIONNELLE

Définition

Cette névrose se caractérise par l'intrusion persistante et non voulue de pensées, d'impulsions ou d'actes que le malade est incapable de réprimer et qui échappent au contrôle de sa volonté.

En d'autres termes, le malade est obsédé par certaines idées ou pensées qu'il ne désire pas, mais dont il ne peut se défaire.

Causes

Cette névrose apparaît le plus souvent à la puberté et serait due à des conflits non résolus durant cette période. Ainsi, il arrive que des parents de personnalité obsessionnelle élèvent leurs enfants dans des habitudes obsessionnelles. L'enfant les adopte et elles sont ensuite très difficiles à déloger, car pour lui, bien souvent, le fait d'adopter ces habitudes était un moyen de se sentir accepté et aimé de ses parents.

D'autres parents trop exigeants poussent leurs enfants à développer de telles habitudes en leur demandant des efforts et des résultats trop précis. Souvent ils insistent sur un sens des responsabilités trop grand pour l'âge de l'enfant. Ce dernier ne pouvant satisfaire ses parents peut se sentir très coupable et cette culpabilité peut avoir un effet néfaste sur la structure de sa personnalité. Graduellement, les exigences démesurées des parents peuvent l'amener à utiliser des rituels pour le débarrasser de sa culpabilité et le soulager de son anxiété.

Symptômes ou manifestations cliniques

La contrainte. Le sujet se sent assiégé, dominé, incapable de chasser les pensées importunes. Celles-ci peuvent se résumer en mots ou idées uniques ou prendre la forme de ruminations ou chaînes d'idées souvent perçues par le malade comme étant absurdes.

Le rituel. C'est un cérémonial obsessionnel, parfois absurde et compliqué qui consiste à faire des gestes ou des actes répétitifs que le malade se sent contraint d'effectuer, tels que:

- se laver les mains à répétition,
- avoir envie de toucher à un objet particulier ou de poser un acte qu'il sait ridicule comme tirer la barbe d'un passant,
- se mettre à compter sans raison, etc.

L'anxiété et l'angoisse. Le malade est empêché de terminer son rite compulsif ou il craint de ne pouvoir lui-même le contrôler.

L'ambivalence. Elle peut se manifester par l'excès dans la propreté ou la saleté, la méticulosité ou le désordre, la soumission ou l'hostilité.

Soins

Introduction

Les grands obsessifs souffrent beaucoup, non seulement de leur anxiété qu'ils ne peuvent expliquer, mais aussi de l'humiliation de se sentir observés lorsqu'ils accomplissent leurs étranges rituels.

Cette anxiété provient d'un sentiment d'ambivalence ou d'indécision et d'un profond sens de culpabilité.

Au fond, ce malade est pris dans un conflit de deux valeurs opposées, ordre ou désordre, propreté ou saleté, soumission ou agressivité. La peur constante de perdre le contrôle de ses sentiments ou de ses actions fait naître chez lui le comportement obsessionnel avec le rituel. Ce dernier peut avoir comme but d'expier, de réparer les désirs ou sentiments non acceptables ou encore de se punir d'avoir de tels sentiments.

Relations interpersonnelles

Les relations interpersonnelles sont les outils tout désignés pour contribuer à diminuer son anxiété et lui donner confiance en lui-même dans sa relation avec les autres.

Le malade qui a un rituel a souvent peur d'être contrôlé par autrui, ce qui le pousse à maintenir une relation superficielle, distante et froide avec les autres.

C'est pourquoi, il est préférable de lui permettre l'accomplissement de son rituel dans un délai raisonnable et de lui épargner toute pression, critique ou mesure de punition qui ne ferait qu'augmenter son angoisse. Par exemple, une malade dominait une partie de son anxiété en frottant vigoureusement les cloisons de la douche après s'être lavée. Quand cette activité lui était défendue, elle devenait fatiguée et anxieuse et ne pouvait continuer le reste des activités de la journée. Une routine fut adoptée pour elle de façon à ce qu'elle prenne sa douche de bonne heure le matin et soit alors capable de joindre le groupe de malades en récréation ou à une occupation thérapeutique.

Ce malade a habituellement un bon discernement. Il peut savoir que son «rituel» est ridicule et absurde, mais ne peut s'empêcher de l'accomplir quand même, car il lui procure un soulagement.

Souvent aussi, il peut comprendre intellectuellement son comportement et son sentiment de culpabilité, mais ne pourra pas indiquer pourquoi il se sent coupable. Ce discernement intellectuel et partiel n'influence pas son comportement mais lui est extrêmement pénible car il le dévalorise.

Milieu thérapeutique

La caractéristique essentielle d'un milieu thérapeutique pour le malade obsessionnel est d'être un endroit où il ne sera pas puni pour son comportement. Le milieu doit lui éviter autant que possible de prendre des décisions. Pour cela, on tentera de réduire les expériences nouvelles qui peuvent représenter pour lui un danger, une menace.

Une routine de travail devra être adaptée, de façon à lui permettre d'accomplir ses rituels sans que le groupe s'en aperçoive ou le ridiculise et à des heures qui ne l'empêcheront pas d'assister aux activités de groupe. Il faudra cependant lui apporter l'aide nécessaire pour qu'il n'ait pas peur, ni ne se sente en danger dans le groupe.

DÉPRESSION NÉVROTIQUE

Définition

Ce trouble se manifeste par une réaction dépressive exagérée due à un conflit intérieur ou à un événement identifiable, comme la perte d'un être ou d'un objet aimé.

La plupart des gens se dépriment légèrement et d'une façon passagère à un moment ou l'autre de leur vie lors de circonstances de toutes sortes. A ce moment, la dépression ne peut être considérée comme anormale ou pathologique; on pourrait plutôt désigner cette réaction humaine sous le terme de tristesse ou d'abattement.

Le terme dépression s'emploie lorsqu'il s'agit d'un trouble psychique dont la tristesse est le symptôme profond et constitue la pathologie fondamentale du trouble.

Causes

L'état de dépression est fréquemment l'aboutissement d'une défaite, d'une perte. Lorsque quelqu'un subit une grosse perte qui le touche de près, il devient triste. On appelle cette réaction chagrin et le processus qui le suit se nomme le deuil. La dépression deviendra anormale et névrotique si cette réaction se prolonge d'une façon disproportionnée ou rend le patient incapable d'efforts ou si elle n'apparaît que longtemps après l'événement. La personne se sent alors démunie, impuissante devant les exigences de la vie qui sont pour elle un poids écrasant.

Il peut s'agir, par exemple, de la perte d'un être aimé, de la perte d'un objet précieux; il peut s'agir d'une défaite sur le plan de la sécurité personnelle, du prestige; il peut s'agir aussi de la perte de confiance dans son talent, d'un échec dans ses affaires. Ce peut être aussi une atteinte grave à la santé physique.

Il arrive souvent qu'une ou plusieurs de ces raisons contribuent à cristalliser une réaction dépressive. L'intensité du traumatisme qui résulte de ces expériences dépendra en grande partie de la force de la personnalité; souvent il remonte à un conflit de l'enfance. La dépression peut aussi varier considérablement suivant l'âge, le milieu, l'expérience et les prédispositions.

Symptômes ou manifestations cliniques

Les quatre éléments psychologiques les plus importants dans la dépression sont: la tristesse, le désespoir, la colère, le sentiment de sa propre indignité (auto-dépréciation). Tout fonctionne au ralenti chez le malade déprimé.

Le schéma suivant contient en résumé les manifestations cliniques d'un malade déprimé. Il faut se rappeler que chaque malade ne présente pas toutes les manifestations énumérées.

Troubles affectifs (humeur ou affect)

Manque de vitalité
Colère
Tristesse

Anxiété
Culpabilité
Indécision
Indignité
Mécontentement de soi
Désespoir

Troubles intellectuels (pensée ou idéation)

Débit: ralenti.
Efficacité: manque d'intérêt et incapacité à se concentrer.
Contenu: préoccupé par ses inquiétudes, tristesse, culpabilité, doute, troubles hypocondriaques.

Troubles de l'activité (comportement ou conduite)

Symptômes subjectifs

Fatigue
Faiblesse
Douleurs musculaires
Paresthésie

Symptômes objectifs

Maintien: air abattu.
Expression: triste.
Mouvements: ralentis.
Mode de réponse affective: réticence, négative.

Fonctions végétatives

Sommeil: mauvais, marqué par un réveil prématuré.
Manger: absorption de nourriture sans plaisir.
Poids: en général, en baisse.
Système gastro-intestinal: constipation fréquente, parfois diarrhée, maux de ventre, flatulence.
Sexualité: perte du désir sexuel, impuissance chez l'homme.

Évolution

Si la dépression névrotique n'est pas traitée, elle peut varier en intensité et aller jusqu'à la dépression psychotique.

Soins

Introduction

Il serait assez difficile de dresser une liste des moyens techniques qui s'appliquent aux soins des malades en état de dépression, car la nature des soins dépend dans une large mesure du malade, de sa maladie et des circonstances. Il est important de retenir qu'il faut du temps et de la patience pour se débarrasser de l'emprise d'une dépression.

Relations interpersonnelles

Le malade déprimé manifeste souvent de l'hostilité envers toutes les personnes qui s'approchent de lui. En d'autres cas, on observe qu'il veut se retirer totalement du cercle humain, qu'il s'enfonce dans une attitude de renfrognement, de dépit.

De façon générale, ses exigences se manifestent de façon très calme. Il n'insiste jamais. Il y a risque qu'on lui prête peu d'attention pour courir vers un malade dont l'anxiété est plus aiguë. Il peut arriver que le personnel soignant s'imagine que son comportement (il pleure; il est morose et malheureux) constitue la preuve de leur échec auprès de lui. Ce qui n'est évidemment pas le cas, bien que dans une certaine mesure l'équipe peut parfois être responsable de l'état de prostration d'un malade trop fréquemment... oublié.

C'est par le sens de l'observation et des qualités de compréhension humaine qu'on apprendra à saisir toutes les nuances tant physiologiques que psychologiques de l'état de dépression.

Milieu thérapeutique

Si l'on retient le fait que le malade déprimé se croit et se dit sans aucune valeur personnelle, qu'il se juge totalement inutile à la société et à son milieu immédiat, il est utile de l'inciter à fabriquer des objets qui serviront aux autres ou encore de l'inciter à exécuter certains travaux. On peut également le distraire: les jeux de cartes, de dames ou d'échecs, par exemple, peuvent être excellents pourvu qu'il ne s'agisse pas d'un jeu trop compétitif, ce qu'il pourrait difficilement supporter. Néanmoins, il convient de participer activement au jeu avec lui. Cela peut le stimuler et l'amener peu à peu à participer à des activités de groupe.

Parmi les diverses autres occupations à suggérer: vider les cendriers et les laver, vider les corbeilles à papier, arroser les fleurs, balayer, faire le ménage de sa propre chambre et lessiver ses vêtements personnels. Les occupations ou travaux doivent lui être demandés d'une façon très positive avec entente qu'ils seront exécutés avec un certain degré de qualité. Ces petits ouvrages peuvent se révéler une sorte de soupape pour l'impression de nullité et d'impuissance qu'entretient le malade. Ce dernier se rendra compte de ce bienfait inconsciemment et on le verra redemander à s'occuper.

Hygiène personnelle

On observe souvent chez le malade déprimé une grande négligence dans le soin de sa personne. Il peut porter les mêmes vêtements sombres plusieurs jours de suite. Cette négligence reflète en quelque sorte le grave abandon de l'intérêt que la personne porte à elle-même. Elle n'a plus confiance en elle-même, plus d'estime pour elle-même. Il y a lieu à ce moment d'user de beaucoup de tact pour la stimuler à se prodiguer les soins physiques essentiels.

Ainsi, par exemple, on peut lui offrir de prendre un bain qui l'aidera à se détendre en faisant couler l'eau de son bain tout en prenant soin de préparer ses effets de toilette. Ou encore, on peut lui offrir de la coiffer ou de lui repasser un vêtement.

Alimentation

Il peut arriver aussi que le malade refuse de s'alimenter. Il faudra alors faire preuve d'ingéniosité en présentant, par exemple, les aliments d'une façon attrayante ou en proposant de l'aider à manger. Si le refus se fait plus agressif, s'il ne veut même pas accepter d'être aidé, on devra sans doute lui dire, en ayant grand soin de ne pas se montrer menaçant, que pareil comportement va obliger le personnel à employer d'autres méthodes. L'alimentation étant nécessaire, il faudra peut-être recourir au tube. Naturellement, il faut penser qu'un tel recours peut provoquer une hostilité plus vive. En tout état de cause, il s'agirait alors de la manifestation violente d'une hostilité trop contenue que le malade sent le besoin d'extérioriser. Le soignant en subit l'impact uniquement parce qu'il est présent.

Dans la mesure où la chose est humainement possible, on doit essayer de réagir à cette hostilité par une attitude conciliatrice. Si le malade se rend compte qu'on n'est pas inquiété par ses manifestations et qu'on ne répond pas à son hostilité par de l'hostilité, il se sentira rassuré.

Suicide et risque de suicide

Un danger majeur menace en tout temps le malade déprimé: le suicide.

Plus un malade est dépressif, plus le risque de suicide est grand. Il peut être longuement prémédité et si le malade verbalise des idées suicidaires, il y a de grandes chances qu'il mette son projet à exécution.

Il est donc primordial de prendre au sérieux une personne qui exprime des idées de suicide et d'établir les dispositions nécessaires pour la protéger. Parfois même le suicidaire peut dissimuler ses intentions derrière un sourire, afin d'échapper à la surveillance et passer plus facilement à l'acte.

Malheureusement, il n'y a pas de critères infaillibles pour l'évaluation du risque de suicide, mais les indications suivantes pourront être utiles:

- tentatives antérieures de suicide,
- menaces de suicide,
- sentiments de culpabilité et d'indignité accompagnés de tension et d'agitation,
- désespoir,
- préoccupation à cause de l'insomnie,
- malaise physique chronique, hypocondrie.

La meilleure protection contre le danger de suicide demeure toujours l'hôpital psychiatrique où on peut exercer une surveillance étroite et donner des soins adéquats.

6
DÉSORDRES DE LA PERSONNALITÉ

TROUBLES DE LA PERSONNALITÉ
DÉVIATIONS OU PERVERSIONS SEXUELLES
ALCOOLISME
NARCOMANIE OU PHARMACODÉPENDANCE

TROUBLES DE LA PERSONNALITÉ

Ce sont des troubles de comportement qui sont sensiblement différents des symptômes névrotiques ou psychotiques. Généralement, ces modes de comportement demeurent la vie durant et sont souvent observés dès l'adolescence ou avant.

Personnalité paranoïaque

«Ce mode de comportement se manifeste par la présence d'hypersensibilité, de rigidité, de méfiance non justifiée, de jalousie, d'envie, de tendance à blâmer les autres et à leur attribuer des mobiles malveillants. Ces manifestations nuisent souvent à l'adaptation sociale du malade. Évidemment, le fait qu'il y a méfiance ne justifie pas en lui-même ce diagnostic, car la méfiance peut dans certains cas être justifiée[1].»

Personnalité cyclothymique

«Ce mode de comportement se traduit par des périodes alternatives et récurrentes de dépression et d'exaltation. Les périodes peuvent être marquées d'ambition, de chaleur, d'enthousiasme, d'optimisme et d'une grande énergie. Les périodes de dépression peuvent être

---

1. *Manuel de classification des diagnostics psychiatriques,* Ottawa, Bureau fédéral de la statistique, mars 1969, p. 37-38.

marquées par l'inquiétude, le pessimisme, une faible énergie et l'impression que tout est futile. Ces variations de l'humeur ne dépendent pas directement de situations extérieures[1].»

Personnalité schizoïde

«Ce mode de comportement se traduit par de la timidité, de l'hypersensibilité, la tendance à s'isoler, à fuir les relations d'intimité ou de rivalité, et souvent par de l'excentricité. On constate communément l'autisme de la pensée, mais sans perte de l'appréciation de la réalité notamment ou d'autres affects agressifs ordinaires. Ces malades réagissent aux expériences et conflits perturbateurs avec une apparente indifférence[1].»

Personnalité hystérique

«Ce mode de comportement se traduit par de l'excitabilité, de l'instabilité émotionnelle, de la labilité affective, et la tendance à dramatiser. Cette dramatisation a toujours pour but d'attirer sur soi l'attention et souvent de séduire, consciemment ou non. De plus, ces personnes manquent de maturité affective, sont égocentriques, souvent vaniteuses et habituellement dépendantes des autres[1].»

Personnalité obsessionnelle ou compulsive

Ce mode de comportement se traduit par de la rigidité, une difficulté à exprimer ses sentiments, une tendance à rationaliser toutes les situations, du doute, du scrupule, de l'indécision, une ambivalence «carabinée», la négation des conflits (n'a jamais de problèmes).

Personnalité antisociale ou psychopatique

«Ce terme sert à désigner les personnes qui sont fondamentalement asociales et qui, du fait de leur comportement, ne cessent d'être en conflit avec la société. Elles sont incapables de vraie fidélité à l'égard d'autrui, de la collectivité ou des valeurs sociales. Elles sont grossièrement égoïstes, insensibles, irresponsables, impulsives et incapables de se sentir coupables ou de profiter de l'expérience et du châtiment. Leur tolérance à la frustration est faible. Les asociaux tendent à blâmer les autres pour rationaliser leur comportement[1].»

La personnalité antisociale ou psychopathe se forme par le fait que le sujet n'a pu s'identifier à son père, à sa mère ou à un substitut. Voici quelques éléments complémentaires de cette personnalité.

1. *Ibid.*, p. 39-40.

Au niveau de la pensée

- Vie dans l'instant, pour le moment présent
- Incapacité à apprendre, à profiter de l'expérience
- Incapacité à mesurer les conséquences de ses actes
- Forte tendance à la rêverie
- Recherche de compensations dans le rêve éveillé

Au niveau du sentiment

- Manque de respect: le sujet reporte la faute sur autrui.
- Le sujet s'inquiète beaucoup sans se préoccuper d'y remédier.
- Le sujet se sent rejeté et privé d'affection, mais ne tente aucun effort sérieux pour être accepté.
- Il devient anxieux, mais peut masquer son anxiété sous un sourire charmant. Parfois, il peut commettre des actes antisociaux pour se soulager de son anxiété. (Par exemple, vol, faux chèques, etc.)

Au niveau de l'action

- Insatisfaction perpétuelle, agitation constante.
- Absence de tout sentiment du devoir: n'a aucun sens des responsabilités. (Par exemple, il peut travailler régulièrement pendant quelques jours puis disparaître subitement de son travail, sans avertir qui que ce soit.)
- Le sujet acquiert quelque connaissance des beaux-arts, de la littérature, d'une technique quelconque et s'en sert pour impressionner autrui.
- Le sujet se vante de ses exploits en les grossissant.
- Il agit généralement avec une feinte assurance, une dignité factice, artificielle.

Tableau général

- Le sujet est généralement très séduisant.
- Il est ordinairement intelligent et crée une impression favorable.
- Il est très persuasif mais n'a aucun respect de la vérité.
- Le sujet soutient son personnage.
- Jamais, il n'accepte de reproche.
- Il se tire d'affaire par des moyens théâtraux et propres à lui attirer la sympathie.

Définition

Par perversion sexuelle on entend «toute activité sexuelle qui, d'une manière uniforme, déjoue les buts de la procréation [1]».

En d'autres termes, dans la perversion sexuelle, «l'appétit sexuel est avant tout dirigé vers des objets autres que les personnes du sexe opposé, vers des actes sexuels qui habituellement ne sont pas associés au coït ou n'aboutissent que s'ils sont accomplis dans des circonstances bizarres, notamment la nécrophilie (relation sexuelle avec les morts), la pédophilie, le sadisme sexuel, le fétichisme[2]», etc.

On distingue deux sortes de déviations de l'instinct sexuel. Dans la première, l'instinct dévie par rapport au partenaire ou objet sexuel. Dans la deuxième, l'instinct dévie par rapport au but de l'acte.

Déviations en rapport avec le partenaire

Dans les déviations en rapport avec le partenaire ou avec l'objet sexuel, on parlera surtout de l'homosexualité, de la pédophilie et de la bestialité. Ces perversions se caractérisent par un choix anormal du partenaire.

Homosexualité

L'homosexuel est celui qui ne peut avoir des activités sexuelles qu'avec un partenaire du même sexe.

On parlera d'*homosexualité mixte* lorsque quelqu'un peut avoir des rapports sexuels, soit avec une personne du même sexe, soit, à d'autres moments, avec une personne de sexe opposé.

On parlera d'*homosexualité contingente* si sous la force des circonstances extérieures (prison, armée, communauté) quelqu'un qui avait été jusque-là hétérosexuel devient à partir de ce moment-là homosexuel, c'est-à-dire si son instinct qui avait tendance à se reporter sur le sexe opposé se voit forcé, par les circonstances dans lesquelles il se retrouve, de se reporter sur des personnes du même sexe (ce qui est le cas fréquent des prisonniers, par exemple).

Contrairement à ce qu'on pourrait penser, un homosexuel mâle n'est pas forcément efféminé, même si sa démarche ou son langage pourraient nous en donner l'impression. De plus, l'homosexuel mâle

---

1. English O. Spurgeon et Gerald J.H. Pearson, *Problèmes émotionnels de l'existence*, Paris, P.U.F., 1956, p. 295.
2. *Manuel de classification des diagnostics psychiatriques,* Ottawa, Bureau fédéral de la statistique, mars 1969, p. 40.

ne se tournera pas forcément vers un homme à apparence féminine; plus souvent, c'est la masculinité qui l'attire.

Le but de l'acte sexuel est forcément modifié chez les homosexuels. Chez les hommes, le but de la pénétration se déplace du vagin à l'anus: c'est la pénétration anale. L'homme qui pratique la pénétration est habituellement considéré comme actif, celui qui la subit, comme passif. Il peut y avoir aussi pénétration par la cavité buccale (fellation) ou plus simplement une masturbation réciproque. Cette dernière alternative est la plus courante chez les femmes (lesbiennes) quand il n'y a pas attouchements buccaux de la région clitoridienne ou pénétration manuelle de la cavité vaginale ou anale.

Explication sommaire de ce phénomène

On remarque que l'homosexuel mâle passe dans sa jeunesse par une phase d'attachement intense à sa mère au point qu'il s'identifie à elle. Il veut alors aimer les personnes que sa mère aime, c'est-à-dire des hommes. Un autre facteur à souligner est celui du narcissisme, c'est-à-dire la tendance d'une personne à se plaire à elle-même. L'enfant avant de diriger son énergie psychique vers l'extérieur la dirige d'abord vers lui-même, avec le résultat qu'il s'aime et se prend comme son propre modèle. L'homosexuel serait donc quelqu'un qui n'aurait pas dépassé ce stade et qui ne peut aimer qu'une personne faite à son image.

Plusieurs autres explications ont été apportées à l'homosexualité; elles seraient trop longues à élaborer dans cet exposé.

Pédophilie

Une autre déviation du choix du partenaire consiste à prendre comme partenaire sexuel un enfant; dans ce cas, la personne essaie de combler et de protéger l'enfant comme elle aurait voulu que cela lui arrive dans sa jeunesse. On voit donc dans ce mécanisme l'influence du narcissisme du sujet qui entre également en jeu: il s'aime dans l'image de l'enfant qui lui est présenté.

Bestialité

Un choix plus rare mais qui reste quand même assez élevé dans les campagnes est celui de choisir un animal comme objet sexuel. On peut penser que, de même que l'instinct sexuel normal se reporte sur des personnes de même sexe dans des circonstances particulières où le sexe opposé fait défaut, de même dans les campagnes le choix d'un animal comme partenaire sexuel pourrait s'expliquer.

Déviations en rapport avec le but de l'acte sexuel

Dans les déviations en rapport avec le but de l'acte sexuel, on parlera surtout du fétichisme, du voyeurisme, de l'exhibitionnisme, du sadisme, du masochisme, et de l'utilisation de régions non génitales comme but sexuel.

Fétichisme

La seule vue d'une région du corps tel que le pied ou la chevelure, par exemple, suffit à amener une satisfaction sexuelle.

Voyeurisme

La seule activité sexuelle consiste à regarder (par exemple, épier les relations sexuelles d'un couple, plutôt que d'avoir soi-même une activité sexuelle).

Exhibitionnisme

C'est la contrepartie du voyeurisme et consiste à tirer sa satisfaction sexuelle à se montrer nu.

Sadisme et masochisme

Tout acte sexuel comprend une part d'activité et une part de passivité, mais si l'activité sexuelle devient le désir de faire mal et la passivité le désir de souffrir au point que l'acte sexuel ne peut être accompli sans douleur, on parlera de sadisme et de masochisme.

Fellation et coït anal

On utilise une région non génitale comme but sexuel dans deux cas: la fellation (utilisation de la bouche comme réceptacle de l'émission spermatique) et le coït anal (utilisation de l'anus comme réceptacle de l'émission spermatique).

Il faut cependant souligner que l'on ne peut parler de perversion si ces régions ne sont que stimulées au cours de la préparation au coït génital.

En résumé, on pourrait appeler perverse la personne dont le but essentiel de la sexualité s'arrête à des activités préliminaires à l'acte sexuel normal ou celle qui se sert uniquement, comme but sexuel, de régions qui ne sont pas destinées à cela[1].

ALCOOLISME

Définition

On peut dire qu'une personne est alcoolique lorsqu'elle a besoin d'absorber *quotidiennement* une certaine quantité d'alcool pour se sentir en forme ou quand la consommation d'alcool est assez forte

---

1. Tiré d'un article non publié: Dr Édouard Beltrami, «Les perversions», Montréal, Institut Albert-Prévost, 1966.

pour nuire à sa santé physique et à son comportement individuel et social ou encore lorsque la consommation d'alcool est devenue une condition préalable à un mode normal d'agir.

L'alcoolisme est un problème de grande envergure étant donné le nombre de personnes qui boivent à des degrés plus ou moins importants.

Causes

L'usage si répandu de prendre de la boisson est dû au fait que l'alcool procure un soulagement à un besoin psychologique profond; le besoin de diminuer ou de faire disparaître l'anxiété causée par les conflits et les frustrations.

L'alcool est donc un narcotique pour soulager l'anxiété. Plus l'anxiété est importante, plus l'habitude sera forte.

Cependant, on ne sait pas pourquoi celui qui va devenir alcoolique se jette sur la boisson en vue de régler ses problèmes au lieu de choisir un mécanisme de défense névrotique, psychosomatique ou psychotique.

Par contre, il peut arriver que l'absorption d'alcool en tant que mesure de défense ne suffise plus à soulager l'anxiété; le buveur peut alors, dans le but de mieux lutter contre l'anxiété, développer une névrose d'angoisse, des symptômes psychosomatiques ou une psychose (qui seront alors des mesures plus énergiques pour lutter contre l'anxiété, les frustrations et les conflits).

Les causes qui conduisent à l'alcoolisme peuvent varier d'un alcoolique à l'autre.

Il se peut très souvent que le buveur ait été traumatisé très tôt dans la vie et que sa personnalité en soit demeurée au stade oral.

L'alcoolisme peut survenir aussi chez une personne qui n'a jamais pu s'identifier convenablement et développer un surmoi adéquat. Ces personnes ont un moi faible et sont irresponsables.

D'autres buveurs cherchent à calmer un surmoi trop sévère.

D'autres ont des identifications homosexuelles inconscientes.

Il semble exister des travaux qui donnent soif par l'atmosphère surchauffée dans laquelle ils s'exercent; plusieurs professions semblent favoriser l'alcoolisme (les débitants de boissons alcooliques, les peintres en bâtiment, les cheminots, etc.).

Des études très nombreuses ont été effectuées sur les conditions qui mènent à l'alcoolisme; il semble que les raisons conduisant à l'alcoolisme soient multiples. Parmi ces raisons, ce seraient les troubles de la personnalité qui constitueraient l'aspect le plus important.

L'alcoolisme n'est donc pas une maladie héréditaire comme on le prétendait autrefois.

Personnalité de l'alcoolique

De nombreux traits spécifiques montrent la personnalité particulière de l'alcoolique, tels que:

l'immaturité émotionnelle,
les difficultés dans les relations interpersonnelles,
la dépendance extrême envers un des deux parents,
l'incapacité d'accepter des responsabilités (il quitte son travail, néglige sa famille, oublie de se nourrir).

L'anxiété est souvent épisodique et ne provient pas de l'alcoolisme lui-même mais des difficultés qui en découlent (troubles conjugaux, menace de séparation, accrochage avec les autorités policières, etc.).

L'alcoolisme n'est qu'un symptôme de la maladie déjà préexistante.

L'alcoolique ne devient pas anxieux parce qu'il boit; il est évident qu'il boit habituellement d'une façon impulsive pour calmer son anxiété en face d'une faiblesse de sa personnalité non avouée.

Le malade rationalise souvent l'usage qu'il fait de la boisson sous le prétexte superficiel de se défendre contre les pressions sociales qui s'exercent sur lui.

Formes d'intoxication alcoolique

Intoxication alcoolique aiguë

Ce mot «intoxication alcoolique aiguë» signifie un état d'ivresse. L'ivresse peut donc être définie comme un trouble organique provoqué par une intoxication alcoolique aiguë. Dans l'ivresse on doit distinguer:

une forme commune ou habituelle,
une forme caractérisée par un état d'intoxication subaiguë,
une forme caractérisée par le fait qu'il y a des complications au cours de l'état d'ivresse.

Dans l'état d'ivresse, on peut distinguer trois phases.

Une *première phase* d'excitation intellectuelle constitue, à vrai dire, l'état d'ébriété, elle est caractérisée par:

l'euphorie,
le sentiment d'assurance,

la diminution de l'anxiété,
la perte du respect des convenances et du contrôle de soi.

Une *deuxième phase* est caractérisée par des perturbations psychosensorielles profondes:

propos incohérents,
aucune autocritique,
troubles importants du comportement,
démarche incertaine (titubation).

Une *troisième phase*, appelée comateuse, est due à une ingestion importante d'alcool; elle est caractérisée par le fait que la personne est dans un coma assez profond qui peut même aller jusqu'à la mort.

Intoxication alcoolique suraiguë

Elle est provoquée par l'ingestion d'emblée d'une grande quantité de boisson et conduit au coma.

Alcoolisme chronique

Il y a trois grands groupes de buveurs:

- les buveurs occasionnels,
- les buveurs d'habitude mais qui ne sont pas poussés à boire par une pulsion de caractère impérieux et pathologique en soi,
- les buveurs dont la dépendance vis-à-vis de la boisson se présente comme un trouble susceptible d'être envisagé comme une véritable forme pathologique, c'est-à-dire qu'il y a en eux une pulsion de caractère impérieux et anormal qui les oblige à boire.

L'alcoolisme chronique conduit à un état de détérioration alcoolique qui survient après des années d'intoxication. On pourra voir apparaître des complications d'ordre organique, intellectuel, affectif et physique.

Dans les *complications d'ordre organique*, on pourra constater par exemple:

- varicosités faciales,
- tremblements des extrémités,
- incoordination permanente des mouvements des quatre membres,
- troubles digestifs importants,
- crampes au niveau des mollets et douleurs à la pression,
- fourmillements au niveau des extrémités,
- atrophie musculaire,
- troubles du sommeil,
- cauchemars à thème d'agression, de poursuite, etc.

Dans les *complications d'ordre intellectuel:*

- ralentissement du processus intellectuel,

• difficulté de concentration et de compréhension (il restera imprécis dans ses récits et sera souvent à côté de la question, etc.).

Dans les *complications d'ordre affectif:*

- irritabilité, penchant à la colère, à la jalousie,
- affaiblissement moral,
- tendance au mensonge, à la vantardise,
- immoralité (peut commettre des attentats à la pudeur, etc.).

Dans les *complications d'ordre physique:*

- cirrhose du foie,
- polynévrite, etc.

Ces altérations psychiques et organiques de l'alcoolisme chronique peuvent développer des états délirants aigus et subaigus, tels le delirium tremens, la psychose de Korsakoff, des états hallucinatoires alcooliques.

NARCOMANIE OU PHARMACODÉPENDANCE

Définition

Cette rubrique convient aux sujets qui s'adonnent aux drogues autres que l'alcool, le tabac et les boissons qui contiennent de la caféine. Ce diagnostic exige la preuve de l'usage habituel ou d'un réel besoin de la drogue. Parmi les principales drogues on reconnaît: la marijuana, les amphétamines, les barbituriques, les hallucinogènes (LSD), l'héroïne, la morphine.

Les *caractéristiques* de la narcomanie ou pharmacodépendance sont:

un invincible désir, besoin ou obligation de continuer à consommer la drogue et de se la procurer par tous les moyens,

une tendance à augmenter les doses,

une dépendance psychique ou psychologique et parfois physique à l'égard des effets de la drogue.

Causes principales

• Un refus de la souffrance, une recherche du plaisir ou de l'évasion par le recours à des moyens artificiels et spécialisés: les drogues.

• L'habitude créée par une ordonnance médicale trop prolongée de narcotiques.

• L'habitude contractée après avoir pris la drogue par curiosité.

• L'habitude contractée par des situations où la drogue peut être facile à obtenir (milieu hospitalier, pharmacie, laboratoire, milieu hippie, etc.).

Effets de la drogue

Euphorie: véritable euphorie pas toujours constante qui se caractérise par deux traits essentiels:

- une impression de «bonheur au repos», de fuite légère du temps; le monde devient immatériel,
- une surexcitation de l'imagination qui peut aller jusqu'aux hallucinations.

Tolérance: cette tolérance s'établit lentement. L'effet d'une même dose de substance administrée de façon répétée s'atténue peu à peu, si bien que, pour reproduire un effet semblable ou équivalent, il est nécessaire d'administrer la même substance en quantités de plus en plus élevées et rapprochées.

Dépendance physique et psychique: cette dépendance se manifeste par les symptômes d'abstinence ou de sevrage. Si le narcomane est privé de sa drogue, on voit apparaître des phénomènes dans un délai de 12 à 48 heures après le sevrage. Ces phénomènes démontrent alors une dépendance, et peuvent se présenter de la façon suivante:

- bâillements, crampes des membres inférieurs, spasmes pharyngés, épigastriques, intestinaux, cardiaques,
- insomnie, anxiété, agitation, recherche de la drogue, crises d'hystérie,
- salivation abondante, sudation, polyurie, diarrhée, vomissements,
- état ressemblant au «delirium tremens» avec confusion, crises épileptiques, coma et mort.

Symptômes

Symptômes mentaux (résultat de l'usage prolongé de drogues)

- Diminution de la volonté
- Troubles de la mémoire et du jugement
- Perte de délicatesse
- Baisse du sens de l'humour
- Diminution de la fierté
- Inadaptation à la réalité
- Insatisfaction chronique
- Impulsivité
- Absence d'autocritique et de capacité de réflexion
- Déchéance de la personnalité

Symptômes physiques (résultat de l'usage prolongé de drogues)

- Troubles gastriques
- Amaigrissement
- Anorexie (perte d'appétit)
- Déshydratation des tissus
- Insomnie
- Anémie
- Tremblements
- Démarche chancelante
- Aspect de grand malade
- Constipation chronique suivie de diarrhée
- Teint gris, blafard du sénile

Ouvrages de référence

Après la drogue, Guy Champagne, Paris, Seuil, 1967.

Connaissance de la drogue, Dr André Boudreau, Montréal, Éditions du Jour, 1970.

Drogues et remèdes, New York, Time-Life, 1967.

Hippies, drogues et sexe, Joe David Brown, Paris, Laffont, 1968.

Histoire de la drogue, Jean-Louis Brau, Paris, Tchou, 1968.

J'étais un drogué, Guy Champagne, Paris, Seuil, 1967.

La drogue, Claude Olievenstein, Paris, Éditions universitaires, 1970.

La stupéfiante histoire de la drogue, Paris, Del Duca, 1971.

La toxicologie, René Fabre, «Que sais-je?» n° 61, Paris, P.U.F., 1964.

Le désir de la drogue, Paul Chauchard, Paris, Mame, 1971.

Le monde hallucinant de la drogue, Henri Ambrosa, Paris, Presses de la Cité, 1970.

Le phénomène LSD, John Cashman, Paris, Planète, 1967.

Le voyage à la drogue, George Borg, Paris, Seuil, 1970.

Les chemins de la drogue, Sean O'Callaghan, Paris, Trévise, 1969.

Les drogues, Jacques Durocher, Montréal, Éditions de l'Homme, 1970.

Les drogues du bonheur, Jean-Marie Gerbault, Paris, Hachette, 1966.

Les toxicomanies, Dr Antoine Porot, «Que sais-je?» n° 586, Paris, P.U.F., 1968.

Les toxicomanies, autres que l'alcoolisme, guide pratique de diagnostic et de traitement, Montréal, Collège des médecins et chirurgiens du Québec, 1971.

LSD, n° 1828, Chevy Chase (Maryland), National Institute of Mental Health.

L.S.D., colle et toxicomanie, Charles Dufour, Montréal, Genest, 1969.

Marijuana, n° 1829, Chevy Chase (Maryland), National Institute of Mental Health.

Narcotics, n° 1827, Chevy Chase (Maryland), National Institute of Mental Health.

Phantistica, Louis Lewin, Paris, Payot, 1970.

Poisons sacrés, ivresse divine, Philippe de Félicé, Paris, Albin Michel, 1970.

Rapport provisoire de la Commission d'enquête sur l'usage des drogues à des fins non médicales, n° de cat. H 20-5470/IS, Ottawa, Information-Canada (Commission Le Dain), 1970.

Si votre enfant se droguait, Ottawa, Novalis, 1971.

The Up and Down Drugs, Amphetamines and Barbiturates, n° 1830, Chevy Chase (Maryland), National Institute of Mental Health.

Toute la vérité sur la drogue, Marcel Aymé Gagnon, Montréal, Beauchemin, 1970.

Sources d'informations pour obtenir des articles, brochures ou dépliants sur les drogues

Bien-Être social canadien
Conseil canadien du Bien-Être
55, avenue Parkdale
Ottawa, Ontario

Bulletin de l'Association des consommateurs du Canada
100, rue Gloucester
Ottawa 4, Ontario

Collège des médecins et chirurgiens du Québec
1440 ouest, rue Sainte-Catherine, bureau 914
Montréal 107, Québec

Collège des pharmaciens du Québec
1074 ouest, avenue Laurier
Montréal 153, Québec

Ministère de la Santé nationale et du Bien-Être social
Direction des aliments et drogues
Ottawa, Ontario

National Institute of Mental Health
5454, Wisconsin Avenue
Chevy Chase, Maryland 20015, U.S.A.

Office de prévention et du traitement de l'alcoolisme et des autres toxicomanies, (O.P.T.A.T.)
969, route de l'Église
Sainte-Foy, Québec 10

7
MALADIES PSYCHOSOMATIQUES

INTRODUCTION
DÉFINITION
RÉACTIONS PSYCHOSOMATIQUES

Introduction

«L'expression psychosomatique dérive de deux mots grecs: psyché qui signifie âme ou esprit et soma qui signifie corps. Ainsi la médecine psychosomatique serait, à un point de vue général, l'aspect des sciences médicales qui traite des relations entre le corps et l'esprit dans la production, l'évolution et le traitement des maladies humaines[1].»

Définition

On pourrait dire que la maladie psychosomatique est un mode d'action des émotions sur les fonctions et les structures corporelles.

Les réactions psychosomatiques sont déclenchées par une tension nerveuse créée par une situation conflictuelle, qui se décharge plutôt sur des organes tels que l'estomac, les poumons, les reins, les intestins, etc., et qui cause ainsi des dérangements physiques.

En d'autres mots, on utilise ce terme pour décrire «l'interaction constante et indissociable entre le *psychisme* (esprit) et le *soma* (corps). Cette appellation qualifie le plus souvent un état morbide dont les manifestations sont avant tout physiques mais qui comporte une étiologie affective au moins partielle[1].»

---

1. Dr Bijou Legrand, *Psychiatrie simplifiée*, Port-au-Prince (Haïti), Imprimerie Séminaire Adventiste, 1963, p. 75.

1. *Vocabulaire Psychiatrique*, Association canadienne pour la santé mentale, Division du Québec, Montréal, 1963, p. 59.

Le mode de réaction somatique dépendra du type de conflit émotionnel et de la personnalité de base de la personne.

Réactions psychosomatiques

Troubles cutanés

Dermatite
Eczéma
Prurit
Urticaire

Troubles gastro-intestinaux

Diarrhée
Constipation
Boulimie
Anorexie
Ulcère d'estomac
Gastrite

Troubles cardio-vasculaires

Tachycardie
Hypertension artérielle

Troubles respiratoires

Asthme
Bâillement
Toux

Troubles ostéo-musculaires

Arthrite rhumatoïde
Crampes
Spasmes musculaires
Troubles articulaires

Troubles sexuels

Frigidité
Stérilité
Fausse grossesse
Éjaculation précoce et retardée
Aménorrhée, dysménorrhée
Avortement
Impuissance sexuelle

Troubles du sommeil

Cauchemar
Hypersomnie

Insomnie
Somnambulisme

Autres troubles

Migraine
Céphalée
Énurésie
Anorexie mentale
Tics nerveux
Bégaiement et bredouillement

Il faut se rappeler que tous ces troubles ne sont pas toujours d'ordre strictement psychosomatique (d'origine psychique). Le danger en médecine psychosomatique est de généraliser l'importance des facteurs psychiques au risque de méconnaître parfois des maladies organiques réelles et de ne pas les traiter.

Il faudrait donc se méfier de passer d'un excès à l'autre en attribuant une cause psychique à tous les symptômes ou troubles physiques. Disons que la «déformation psychosomatique» est une tendance que nous pouvons retrouver fréquemment en milieu psychiatrique et dont nous devons nous méfier.

Il demeure primordial de rapporter les malaises physiques importants dont se plaint le malade et de s'assurer qu'un examen physique est fait avant de croire d'emblée qu'il s'agit d'un trouble psychosomatique.

8
DÉFICIENCE MENTALE

INTRODUCTION
DÉFINITION
CAUSES
CLASSIFICATION DES DÉFICIENTS MENTAUX
RÔLE DU SOIGNANT

Introduction

Nous rencontrons dans ce domaine un problème de vocabulaire. Les mêmes termes reçoivent souvent des définitions différentes. Les expressions qui semblent former le vocabulaire de cette question se limitent plus particulièrement à la déficience mentale, l'arriération mentale, la débilité ou faiblesse mentale.

Quel terme faut-il donc choisir pour exprimer avec le plus de justesse possible la réalité psychologique de l'insuffisance dans le développement mental?

Disons tout de suite que les mots «arriéré» et «retardé» sont équivoques. Arriéré ou retardé se dit en comparaison à l'ensemble de la population. Le terme «arriéré» peut être attribué à des écoliers parfaitement normaux et même sur-doués, dont certaines circonstances ont arrêté momentanément le développement normal. On les appelle alors «arriérés pédagogiques». Ces enfants sont retardés par rapport à l'ensemble de la population des enfants de leur âge parce qu'ils sont retardés par rapport à leur propre potentiel.

D'autre part, le terme «débilité mentale» est pratiquement absent du vocabulaire courant au Canada français. L'entente a été, semble-t-il, formelle à ce sujet, autant que pour le terme «arriération», à cause de sa signification pathologique. On le réserve aux déficients profonds assimilés en somme aux malades incurables.

Le terme «déficience mentale» semblerait donc le plus adéquat parce qu'il ne permet pas de confusion et qu'il rend bien compte de la réalité psychologique et éducative des problèmes qui concernent ce genre d'enfant.

Définition

«La déficience mentale est un défaut de compétence mentale au point qu'il soit impossible pour le sujet d'arriver à un ajustement social indépendant ou adéquat. Ce défaut de compétence mentale peut être inné (héréditaire) ou acquis par suite d'un arrêt de développement[1].»

Par nature, le déficient mental est une personne qui progresse plus lentement que l'enfant normal dans son développement mental.

On emploie des tests d'intelligence pour faire le diagnostic précis de la déficience mentale.

Causes

Les causes sont variées et multiples. Nous allons tenter d'énumérer les plus importantes.

Les causes prénatales, c'est-à-dire avant la naissance, sont:

- une tare héréditaire familiale: abus de l'alcool, de drogue, Rh négatif,
- une infection de la mère pendant la grossesse: syphilis, rubéole, toxémie.

Les causes périnatales, c'est-à-dire au cours de l'accouchement, sont:

- un traumatisme crânien dû au bassin de la mère légèrement rétréci,
- une application des forceps,
- un excès d'anesthésie au cours de l'accouchement,
- un accouchement difficile et compliqué.

Les causes postnatales, c'est-à-dire après la naissance, sont:

- des traumatismes crâniens (blessures à la tête qui produisent des lésions),
- des chocs émotifs (qui peuvent rendre l'enfant incapable de communiquer avec son milieu),

1. Dr Bijou Legrand, *Psychiatrie simplifiée,* Port-au-Prince (Haïti), Imprimerie Séminaire Adventiste, 1963.

- des infections (méningite cérébro-spinale, encéphalite léthargique et aussi maladies bénignes de l'enfance, telles que fièvre scarlatine, diphtérie, etc., qui peuvent avoir des résultats néfastes),
- des convulsions (épilepsie par la destruction progressive de la matière cérébrale),
- des privations extrêmes de nourriture, d'air, de soleil, qui peuvent produire des réactions physiologiques et amener un état de déficience mentale.

En résumé:

- l'hérédité,
- le milieu,
- l'interaction de l'hérédité et du milieu

jouent un grand rôle dans le développement de la déficience mentale.

Classification des déficients mentaux

Il est presque convenu que toute classification est arbitraire et incomplète. Nous essayerons ici de donner les classifications les plus importantes de la déficience mentale, selon la cause, le degré, la forme, les possibilités éducatives.

Selon la cause

Nous pouvons distinguer quatre genres de déficience mentale:

- la déficience mentale héréditaire,
- la déficience mentale acquise (milieu),
- la déficience mentale mixte (hérédité et milieu),
- la déficience mentale non classée (origine inconnue).

Selon le degré

Débile mental profond (idiot)

Selon Binet et Simon: est idiot tout enfant qui n'arrive pas à communiquer par la parole avec ses semblables, c'est-à-dire qui ne peut ni exprimer verbalement sa pensée, ni comprendre la pensée exprimée par les autres, sans qu'un trouble de l'audition ou des organes phonateurs expliquent cette pseudo-aphasie, qui est entièrement due à une déficience intellectuelle.

Le quotient intellectuel de ces enfants est inférieur à 25.

Comme niveau maximum de développement mental, l'enfant ne dépassera pas un âge mental de 4 ans.

Ces débiles sont très souvent atteints de déformations ou de défauts physiques.

Débile mental moyen (imbécile)

Selon Binet et Simon: est imbécile tout enfant qui n'arrive pas à communiquer par écrit avec ses semblables, c'est-à-dire qui ne peut pas exprimer sa pensée par l'écriture, ni lire l'écriture ou l'imprimerie, ou plus exactement comprendre ce qu'il lit, alors qu'aucun trouble de la vision, ni aucune paralysie motrice du bras n'explique ce fait, qui est dû à une déficience intellectuelle.

Le quotient intellectuel varie entre 25 et 50.

Comme niveau maximum du développement mental, il atteindra un âge mental de 4 à 8 ans.

Déficient mental moyen (moron)

Le moron est l'élève qui est inférieur à la normale dans son physique, dans son intelligence et dans sa vie affective. Il ne peut bénéficier de l'expérience de la vie quotidienne; il ne sait pas résoudre les situations nouvelles. Il éprouve de la difficulté à s'adapter à la société et au travail.

Le quotient intellectuel peut varier entre 50 et 75.

Comme niveau maximum du développement mental, il atteindra un âge mental de 8 à 12 ans.

Intelligence lente

Le sujet à l'intelligence lente ne se distingue pas beaucoup du normal moyen. Sauf qu'il est moins actif, moins débrouillard; ses succès scolaire sont limités. Il peut terminer le cours primaire élémentaire et apprendre un métier.

Son quotient intellectuel varie entre 75 et 90.

Il peut atteindre un âge mental de 12 à 14 ans.

Selon la forme

D'après Lewis, la déficience mentale subculturelle est celle où l'enfant, à part un niveau d'intelligence inférieur, n'a aucune caractéristique spéciale ou anormale. Ce déficient mental a tout du normal mais en moindre quantité.

La déficience mentale pathologique est l'état de déficience mentale invariablement accompagné et souvent causé par une lésion organique ou par une anomalie. Nous retrouvons dans cette catégorie les paralysés cérébraux, les hydrocéphales, les crétins, les mongols, les microcéphales.

Selon les possibilités d'éducation

Le déficient mental éducable peut atteindre un certain niveau d'indépendance sociale et vivre comme un honnête citoyen.

Le déficient mental entraînable: il reste un semi-indépendant.

Le déficient mental gardable: il doit être dirigé vers la garderie.

Le déficient mental surhandicapé: en plus de sa déficience mentale, il possède un ou plusieurs handicaps majeurs (infirme, aveugle, épileptique).

Rôle du soignant

Bien éduqué, le déficient mental peut souvent s'adapter à son milieu, à ses compagnons; rejeté ou exploité par son entourage, il peut devenir un problème sérieux. Il s'agit donc de créer une mentalité telle que le déficient mental soit considéré comme un être qui a droit au respect de la personne humaine au même titre que le normal. Il faut arriver à le faire accepter. L'enfant déficient, si handicapé soit-il, n'en demeure pas moins un être humain. Il a donc un droit strict à une éducation qui réponde à ses besoins.

Malheureusement un enfant déficient mental fait souvent honte à ses parents et le public bien souvent se moque facilement de lui. On peut jouer un rôle auprès de ces parents pour leur faire comprendre qu'ils n'ont aucune responsabilité directe vis-à-vis de cet état, en les informant qu'il existe des centres spécialisés où leurs enfants acquerront un comportement plus ou moins normal et acceptable, un but à leur existence, de l'expérience et des habitudes de travail. Ces enfants ont besoin d'un milieu où les gens qui les entourent les comprennent et les acceptent, un milieu où les attitudes sont positives plutôt que basées sur de la pitié et de fausses conceptions et où on leur permettra de donner leur meilleur rendement.

Ce que le déficient mental réclame par-dessus tout, c'est l'estime de lui-même. Trop souvent sa vie est remplie de sentiments d'abandon, de déception, de frustration, d'insuccès. Le fait de réussir quoi que ce soit, ne fût-ce que la moindre des choses, lui apporte une satisfaction qui influencera bien souvent son développement. Le soignant qui est en contact avec un déficient mental peut l'encourager dans ses efforts, car la réussite le poussera à faire des choses plus difficiles.

9
THÉRAPEUTIQUES PSYCHIATRIQUES

TECHNIQUES BIOLOGIQUES
TECHNIQUES PSYCHOTHÉRAPEUTIQUES
TECHNIQUES DE RÉÉDUCATION SOCIALE

Les thérapeutiques psychiatriques sont de plus en plus nombreuses et variées; il serait difficile d'en faire une énumération complète dans le présent chapitre, aussi nous limiterons-nous à ne distinguer que quelques méthodes, que nous classerons en trois catégories: les techniques biologiques, les techniques psychothérapeutiques et les techniques de rééducation sociale.

TECHNIQUES BIOLOGIQUES

Ces méthodes tendent à modifier la biologie humaine pour améliorer les symptômes rencontrés dans les maladies mentales.

Nous verrons ici un aperçu de deux méthodes biologiques: les médicaments ou pharmacologie et les traitements de choc.

Médicaments ou pharmacologie

Nous utiliserons de manière schématique la classification du professeur Delay:

– *les psycholeptiques,* ce sont des substances qui tendent à diminuer et à contrôler les activités psychiques pathologiques. Dans ce groupe, on classe les hypnotiques, les neuroleptiques, les tranquillisants:

• les *hypnotiques* sont des médicaments capables de produire ou d'induire le sommeil. Ils se divisent en deux sous-groupes:

les *barbituriques* qui produisent un sommeil forcé: Amytal, Plexonal, Tuinal, Seconal, Soneryl, etc.,

les *non-barbituriques* qui fournissent une action moins profonde: Placidyl, Méquelon, Noludar, Doriden, Rouquolone, etc.,

• les *neuroleptiques* dont les principales caractéristiques résident dans l'association des propriétés thérapeutiques réductrices des troubles psychotiques aigus et chroniques, des états d'excitation et d'agitation et des effets neurologiques, extra-pyramidaux et végétatifs. Ils se divisent en trois groupes:

la *réserpine*,

les *phénothiazines*,

les *butyrophénones*.

Les neuroleptiques les plus courants sont: Largactil, Sparine, Stemetil, Stelazine, Moditen, Nozinan, Trilafon, Mellaril, Majeptil, Dartal, etc.,

• les *tranquillisants* qui apportent une détente, une décontraction musculaire: Librium, Valium, Equanil, Tarasan, etc.;

– *les psychoanaleptiques*, ce sont des substances qui stimulent l'activité mentale. Ce groupe comprend:

• les *médicaments psychotoniques* qui sont des stimulants de la vigilance et apportent une diminution ou une suppression du sommeil, une stimulation de l'activité avec disparition temporaire de la fatigue et de la fatigabilité et une diminution de l'appétit: la caféine, réludine, Ritaline et tous les dérivés de l'ephédrine,

• les *médicaments tymoanaleptiques* ou antidépresseurs qui sont des médicaments capables d'inverser l'humeur dépressive: Marplan, Nardil, Parnate, etc.;

– *les psychodysleptiques*, ce sont des substances qui dévient, déforment les activités mentales, changent en quelque sorte le «vécu» du sujet. Elles sont surtout utilisées en recherche: la mescaline, le L.S.D.

Rôle du soignant (dans la distribution des médicaments)

Les nouveaux médicaments d'aujourd'hui ne constituent pas réellement une solution aux problèmes de base du malade, mais ils peuvent diminuer la tension et alléger les symptômes. La découverte de ces nouvelles drogues comme les neuroleptiques et les tranquillisants a soulagé le personnel dans le milieu psychiatrique de maints problèmes qui surgissaient dans le passé avec des malades destructifs et incontrôlables, par exemple, qui exigeaient beaucoup de leur temps. Aujourd'hui, leur efficacité donne plus de facilité à l'équipe soignante dans le domaine de la communication avec le malade, c'est-à-dire qu'ils permettent de consacrer plus de temps à l'écouter, à le rassurer et à l'aider à s'engager dans les activités thérapeutiques.

L'attitude adoptée par le soignant pendant la distribution des médicaments est parfois aussi importante dans la thérapie du malade que le médicament lui-même.

Il peut très souvent servir d'objet médiatisé pour établir une relation avec le malade si le soignant sait l'utiliser dans un effort de contact individuel lorsqu'il lui présente le médicament.

D'autre part, il lui revient la responsabilité d'observer le malade pendant et après la prise du médicament afin de connaître ses réactions et l'effet du médicament.

Traitements par le choc (électrochoc, insulinothérapie, psycho-chirurgie)

Les traitements par le choc ont pour but principal «de calmer l'irritabilité et les réactions du système nerveux en altérant d'une façon passagère ou définitive le cerveau ou le système nerveux. Ces méthodes s'étagent depuis l'électrochoc, les divers comas jusqu'à la psycho-chirurgie[1]».

Nous ne ferons ici qu'un rappel sur deux de ces méthodes et leurs principes puisqu'elles sont de moins en moins utilisées par suite du progrès dans le développement de la psychopharmacologie moderne et de ses nouvelles substances chimiques.

Électrochoc ou méthode convulsivante

Principe de la méthode et généralités

Cette méthode découverte par Cerletti et Bini, en 1938, consiste à faire passer, pendant un court laps de temps, un courant électrique dans la tête par l'application d'électrodes sur les tempes: on obtient alors une perte de conscience et des mouvements convulsifs. Un seul électrochoc ne peut être suffisant; il faut répéter le traitement d'une à plusieurs fois par semaine pour une série, le plus souvent, de dix à quinze traitements. Le traitement n'est pas douloureux, bien qu'il cause souvent une anxiété préalable due à la crainte et à la peur de l'inconnu.

Il donne habituellement de bons résultats thérapeutiques dans la réaction dépressive psychotique, dans la réaction maniaco-dépressive, dans les cas d'agitation persistante mais les résultats les plus marquants

1. Henri Baruk, *Les Thérapeutiques Psychiatriques*, Paris, P.U.F., 1966, p. 7.

ont été obtenus, semble-t-il, dans les phases de dépression et de mélancolie. Cependant l'électrochoc ne guérit pas la maladie elle-même et ne met pas à l'abri des rechutes; il ne peut qu'atténuer les symptômes et ne donner qu'un résultat à court terme.

Cette technique relève du médecin et demande beaucoup de précision dans son application. Notons de plus que ce traitement peut provoquer dans certains cas des accidents vasculaires, des troubles de mémoire, des fractures des membres ou de la colonne vertébrale qu'on tente cependant d'éviter en empêchant les spasmes musculaires au moyen de curare.

Préparation psychologique

Bien souvent, le malade a peur de ce traitement et ne comprend pas toutes les explications qu'on a pu lui donner à ce sujet.

Le soignant peut le rassurer et l'aider à accepter le traitement en lui disant par exemple qu'il ne souffrira pas, qu'il ne se souviendra de rien, mais qu'après, il se sentira fatigué et aura besoin de dormir. Il est préférable d'utiliser le terme «traitement» pour en parler avec lui, car celui «d'électrochoc» peut augmenter sa crainte et il peut arriver qu'il l'interprète comme une «électrocution». On peut également le rassurer en lui apprenant qu'il y aura un médecin et des soignants autour de lui durant le traitement.

Préparation physique

- S'assurer que le malade est à jeun.
- Prendre les signes vitaux; si les résultats ne sont pas normaux, aviser aussitôt le médecin qui annulera le traitement s'il y a lieu.
- L'inviter à passer aux toilettes, sinon il pourrait être incontinent durant le traitement.
- Faire enlever lunettes, dentiers, épingles à cheveux, montre et tout autre objet métallique.
- Veiller à ce qu'il n'ait pas de vêtements serrés (donner une jaquette d'hôpital).
- Donner une prémédication si elle est prescrite.

Rôle du soignant auprès du malade après le traitement

- Immédiatement après le traitement, il ne devrait pas être laissé seul; il a besoin d'une surveillance constante jusqu'à son réveil; on peut lui faire installer les côtés de son lit pour plus de protection.
- Tourner le malade sur le côté afin de faciliter l'écoulement des sécrétions de sa bouche.
- Surveiller les signes vitaux et la coloration de son faciès jusqu'au réveil.

• Attendre qu'il soit suffisamment éveillé avant de lui permettre de circuler.

• Le rassurer à son réveil s'il s'inquiète de la perte de mémoire; lui expliquer que ce n'est que temporaire; être prêt à le lui répéter plusieurs fois.

• L'aider à s'habiller et à se chausser au besoin.

• L'inviter à prendre son déjeuner.

Insulinothérapie ou cure de Sakel

Principe de la méthode et généralités

Cette méthode, découverte en 1933 par un psychiatre viennois du nom de Sakel, consiste à donner des injections d'insuline journalières et à doses croissantes dans le but d'obtenir un coma. On interrompt ensuite ce coma par injection ou ingestion d'une solution sucrée. Ce coma peut être répété un certain nombre de fois à raison d'un par jour. La surveillance doit être constante pendant la période du coma. Son utilisation est délicate; elle peut être dangereuse si l'on n'applique pas une technique précise.

L'insulinothérapie est maintenant peu employée. Les nouveaux médicaments se substituent à ce traitement.

Indications

Ce traitement est indiqué dans toutes les réactions psychotiques, mais surtout dans la réaction schizophrénique.

Les raisons des effets thérapeutiques de ce traitement sont partagées; plusieurs médecins sont d'avis que les résultats satisfaisants proviennent en majeure partie de la grande attention que l'on accorde au malade durant le traitement.

TECHNIQUES PSYCHOTHÉRAPEUTIQUES

Ces méthodes visent à modifier la structure psychologique de l'être humain pour produire une amélioration des états psychiatriques.

Les thérapeutiques de ce genre sont multiples et ils ont fait l'objet de nombreux ouvrages. Nous nous en tiendrons ici à une explication élémentaire de quelques-unes de ces techniques comme la psychothérapie individuelle, la psychanalyse, les psychothérapies collectives ou de groupe et le psychodrame.

Psychothérapie individuelle

C'est une relation interpersonnelle spéciale avec un thérapeute dans le but d'aider une personne à découvrir ses conflits inconscients, à revivre en partie les situations difficiles de sa vie passée et à parvenir ainsi à se débarrasser de mécanismes de défense inutiles ou dangereux.

La personne peut arriver de la sorte à une meilleure adaptation devant des situations difficiles de la vie, à un meilleur équilibre affectif, à une utilisation plus complète d'elle-même en apprenant à reconnaître ses capacités et ses limites.

Psychanalyse

La psychanalyse est une méthode plus formelle et plus profonde que les psychothérapies. Les techniques peuvent varier selon l'orientation de l'analyse, mais les principes de base restent les mêmes. La personne se rend à une séance de psychanalyse deux ou plusieurs fois par semaine pendant une période de plusieurs années. Elle se couche sur un divan ou s'assoit dans un fauteuil confortable et parle avec son analyste. Par la méthode de l'association libre (verbalisation spontanée de tout ce qui lui vient à l'esprit) et en racontant ses rêves, elle remonte jusqu'aux émotions refoulées de son enfance.

Le traitement tend à modifier l'humeur et le comportement en amenant la personne à prendre conscience de l'origine de ses difficultés.

Psychothérapie collective ou de groupe

C'est l'ensemble des méthodes de traitement par le groupe en utilisant des moyens purement psychologiques (entretiens, analyse d'expressions ou de réactions personnelles des membres à des stimuli variés).

Généralement, cette méthode qui est dirigée par un thérapeute groupe environ une dizaine de personnes dans le but de favoriser la discussion sur des sujets en rapport avec leurs problèmes émotifs.

Les participants se prêtent habituellement assez facilement à ce mode de traitement, car ils en viennent à comprendre qu'ils ne sont pas les seuls à avoir des problèmes et des conflits.

Cette technique si elle est bien utilisée permet d'améliorer leurs possibilités d'adaptation sociale. Se trouvant plongés dans un groupe, ils apprennent graduellement à évaluer leur façon de se relier aux autres et ainsi à établir des relations plus saines avec leur entourage. C'est alors tout leur comportement et toute leur personnalité qui peuvent en bénéficier.

Psychodrame

C'est une méthode de psychothérapie développée par le docteur J.L. Moreno. Elle a pour but de faciliter chez un sujet l'expression de ses sentiments et d'opérer une prise de conscience des attitudes et des rôles effectivement joués dans sa vie.

Le psychodrame met le sujet dans des situations qui sont pour lui chargées affectivement et il doit les jouer comme acteur sur une scène organisée dans ce but et devant un public. Cette méthode peut lui donner la possibilité de libérer ses conflits intérieurs en étant en relation avec d'autres figurants qu'il peut lui-même choisir dans l'assistance. Ceux-ci peuvent symboliser ou représenter les personnes qui sont les véritables objets de ses amours ou de ses haines.

Par exemple, un sujet qui refoule habituellement son hostilité envers son père pourra l'exprimer librement en tant qu'acteur et pourra même en exprimer la cause. D'autre part, s'il doit prendre le rôle du père, après en avoir expérimenté les difficultés il pourra peut-être tolérer le point de vue de son père de façon plus objective et plus compréhensive.

En d'autres mots, cette méthode réveille sa spontanéité, soulage sa tension, lui apprend à critiquer ses propres réactions et à devenir plus objectif.

Plusieurs autres techniques découlent de ces méthodes mentionnées ci-dessus.

Ouvrages de référence

VOLUMES

Group Psychotherapy in Nursing Practice, S. Armstrong and S. Rouslin, London, Collier-MacMillan, 1963.

Précis de psychodrame, Anne Ancelin Schutzenberger, Paris, Éditions Universitaires, 1966.

The Group in Depth, H.E. Durkin, New York, International Universities Press, 1966.

The New Group Therapies, Hendrik Ruitenbeek, New York, Discus-Avon, 1970.

Therapeutic Communication, Jurgen Ruesh, New York, W.N. Norton, 1967.

ARTICLES

American Journal of Nursing, "Can Nurses Be Group Therapists?", Kathleen Bucker and Annette Warrick, 64, 5 (May 1964).

Journal of Psychiatric Nursing, "Group Therapy and Analysis of the Orientation Phase", Anita Sweeney and Elaine Drage, 6, 1 (January-February 1968).

Perspectives in Psychiatric Care, "In Group Psychotherapy", Robert V. Heckel, 11, 4 (1964).

Perspectives in Psychiatric Care, "Nurses as Co-Therapists in a Family-Therapy Setting", C. Getty and A. Shannon, 5, 1 (January-February 1968).

TECHNIQUES DE RÉÉDUCATION SOCIALE

Ces méthodes sont centrées sur la rééducation et la resocialisation des malades mentaux dans le but de les aider à réintégrer la société.

Par l'utilisation de ces méthodes, on fait appel à tout ce qui reste de sain dans la personnalité du malade ainsi qu'à toutes ses capacités de réaction.

Parmi ces méthodes, on peut citer l'ergothérapie, les ateliers thérapeutiques et la technique de remotivation.

Ergothérapie

L'ergothérapie est un traitement par le travail guidé par un ergothérapeute ou un moniteur d'atelier qui vise à la réadaptation du malade.

Le rôle spécifique de l'ergothérapie est de chercher à développer les moyens d'expression et de communication chez le malade, à le rendre conscient de ses possibilités en l'aidant au maximum à dépasser ses manifestations pathologiques.

L'efficacité de cette méthode réside dans la façon de l'amener à communiquer avec l'entourage à travers un *objet.* C'est ce que l'on pourrait appeler une relation médiatisée: le travail, l'objet devient alors le médiateur entre le malade et l'ergothérapeute ou le moniteur d'atelier, l'essentiel n'étant pas tant la réalisation d'un objet que le rétablissement de la communication à travers cet objet.

Cependant, même si l'objet n'est pas le but premier, il n'en demeure pas moins important d'exiger que ce dernier soit mené à bien et possède, dans la mesure du possible, les qualités d'exécution, de finition, de recherche qu'exige tout travail. La démarche sera d'autant plus thérapeutique si l'objet réalisé par le malade a une valeur utilitaire ou artistique suivant ses goûts et aptitudes.

Par contre, tous les effets thérapeutiques de ce traitement seraient difficiles à obtenir sans l'étroite collaboration de l'équipe entière.

L'ergothérapeute a besoin de faire connaître à l'équipe les buts possibles et la valeur de l'ergothérapie et de l'informer de l'évolution du comportement du malade à l'atelier, dans un monde de travail.

Il a besoin en retour d'être informé sur le malade afin de savoir doser le temps et la nature des activités à lui proposer.

Le malade référé à l'ergothérapie pour être traité a besoin de savoir qui est l'ergothérapeute, quel est son rôle dans le traitement et l'importance de cette thérapeutique à son égard.

Dans cette optique, il devient évident d'envisager l'élaboration en commun du programme thérapeutique, c'est-à-dire par l'équipe et par le malade.

Ateliers thérapeutiques

L'atelier est un lieu qui peut être vécu de façon angoissante par le malade qui s'y rend pour la première fois. Il a besoin de s'adapter à la personne en charge, moniteur ou ergothérapeute, au lieu, au groupe qui travaille dans ce lieu, aux matériaux et à l'activité même.

Dans certains ateliers on a classé les activités en trois catégories.

Activités structurées

Elles exigent au niveau de leur exécution un système d'étapes ordonnées, consécutives. Elles ont un but utilitaire et il faut pour les exécuter un minimum de concentration. Elles requièrent de plus l'utilisation d'outils précis et ne peuvent se réaliser qu'avec l'aide du moniteur d'atelier.

Parmi ce genre d'activités on retrouve la bijouterie, la poterie, la vannerie, la menuiserie, la couture, etc.

Activités non structurées

Elles demandent une possibilité d'expression corporelle et de créativité de la part de l'individu.

Ce sont par exemple le dessin, la peinture, le modelage, l'expression corporelle, etc.

Activités collectives ou de groupe

Elles permettent de mobiliser un groupe de malades dans une même activité sous la forme d'un travail collectif: projet divers, tapis mural, montage de photos, etc.

La manipulation de ce groupe consiste en la resocialisation des malades par l'intermédiaire d'une même activité à laquelle tous doivent participer.

Ce système d'activités oblige le malade à un effort personnel pour s'intégrer dans un groupe et effectuer des rapports sociaux avec les autres. On peut remarquer que dans le travail collectif les membres du groupe jouent un rôle les uns par rapport aux autres. Ces interactions entre les malades peuvent être favorisées par les échanges d'idées à propos de l'activité en question et constituent ainsi un apprentissage dans l'acquisition de nouveaux comportements.

L'ergothérapie est une thérapeutique efficace si elle est bien utilisée et exploitée. Elle offre alors des possibilités précieuses dans la resocialisation du malade par ce fait même qu'elle le situe devant un principe important: celui de la réalité.

Technique de remotivation

Cette technique a été créée aux États-Unis par Mme Dorothy Hoskins Smith en 1956.

Partie intégrante d'une technique infirmière bien comprise, son application est généralement supervisée par un(e) infirmier(ère) autorisé(e).

Le but de cette méthode est de «remotiver» les malades en les stimulant à s'intéresser de nouveau à leur entourage, en centrant leur attention sur des aspects simples et objectifs de la vie quotidienne qui n'ont aucun rapport avec leurs problèmes émotifs.

En d'autres mots, c'est une méthode d'interaction entre des soignants et un groupe de malades dans le but d'accroître et raffermir le contact qu'il y a entre eux. C'est une activité structurée qui permet de communiquer l'un avec l'autre d'une façon réaliste et constructive. Par exemple, l'observation d'un oiseau ou la lecture d'un poème sur les oiseaux peut servir à provoquer une étude verbale sur le sujet.

On choisit surtout des sujets qui ont rapport à des questions saisonnières, sportives et qui sont souvent liés à des événements quotidiens. On écarte les sujets sur la religion, les relations sexuelles, les préjugés, les problèmes du mariage, les relations familiales et tout sujet «épineux» du même genre.

La remotivation est un programme flexible dans toute son application. Cette technique exige un entraînement spécial et des instructions précises pour qui veut diriger un de ces groupes de malades.

Cette technique fournit aux soignants un instrument utile pour permettre aux malades de reprendre contact avec la réalité en leur fournissant un terrain d'essai où ces derniers agissent comme membre actif et coopérateur dans un groupe.

VOCABULAIRE[1]

Acting-out. Appelé aussi «passage à l'acte». C'est l'expression en acte de conflits émotifs inconscients.

Affect. C'est la tonalité émotive. Affect et émotion sont souvent employés de façon interchangeable.

Affectivité. Niveau d'existence et de conscience non réfléchie correspondant à tout ce qui est éprouvé de manière personnelle et «vécue». Ce niveau est psychophysiologique, c'est-à-dire que tout ce qui se passe retentit sur l'état de l'organisme. Les émotions, les sentiments, les passions, les valeurs et les désirs font traditionnellement partie de ce qu'on appelle l'affectivité. L'affectivité s'exprime aussi dans les significations personnelles que nous donnons à ce qui nous entoure et à ce qui nous concerne.

Agressivité. Comportement caractérisé par le désir ou l'acte d'attaquer, d'aller au-devant ou de s'opposer à ce qui pourrait nous contrarier. Il y a diverses formes d'agressivité:

l'agressivité constructive vise à la protection et à la préservation de l'individu; elle est provoquée par les menaces réelles du milieu; elle implique une saine affirmation de soi, nécessaire à la protection de ses droits légitimes,

l'agressivité destructive n'est pas motivée par un besoin réel de se protéger.

Ambivalence. Coexistence de pulsions, de désirs, de sentiments ou d'émotions opposés à l'égard d'une même personne, d'un même objet ou d'une même fin. On peut être partiellement ou tout à fait conscient de cette ambivalence ou n'être conscient que d'un de ses aspects.

Ambivalent. Qui éprouve à la fois deux sentiments opposés, amour et hostilité par exemple, et qui se conduit comme un être partagé, incertain, non détendu.

Anxiogène. Qui suscite l'angoisse ou l'anxiété.

Blocage. Difficulté de rappel ou interruption du fil de la pensée ou de la parole attribuable à des facteurs émotifs habituellement inconscients.

Boulimie. Faim excessive et pathologique.

Ça appelé aussi **id.** Selon Freud, instance psychique qui grouperait les désirs instinctuels inconscients et les tendances impulsives.

Caractère. Se dit, en psychiatrie, de l'ensemble des traits de personnalité relativement stables d'une personne ou de ses réactions habituelles.

1. La plupart des définitions sont empruntées aux ouvrages dont la liste suit le vocabulaire.

Conflit. Lutte consciente ou inconsciente entre deux forces affectives antagonistes. Lorsque le conflit est inconscient, un besoin instinctuel intérieur s'oppose à une autre tendance intérieure qui lui est incompatible. Ainsi la recherche instinctuelle de la satisfaction d'un besoin peut entrer en conflit avec les exigences de la conscience morale ou avec des impératifs sociaux d'origine extérieure.

Conflit extra-psychique. Qui se rapporte à des facteurs d'ordre extérieur au sujet; il s'agit d'un conflit entre l'individu et le milieu.

Conflit intra-psychique. Qui se situe à l'intérieur même de la personnalité.

Confusion. Trouble de la conscience qui s'accompagne parfois de désorientation dans le temps, dans l'espace et par rapport aux personnes.

Délire. C'est une erreur pathologique du jugement; en d'autres termes, c'est une fausse croyance qui ne concorde ni avec l'hérédité raciale ou individuelle du sujet, ni avec les croyances universellement admises dans son milieu social et dont le sujet ne peut être dissuadé par le raisonnement.

Dépersonnalisation. Sentiment d'irréalité ou d'étrangeté ressenti envers le milieu ou envers soi-même.

Désorientation. Perte du sens de l'orientation dans l'espace, dans le temps ou par rapport aux personnes.

Détérioration. Désintégration progressive réversible ou irréversible des fonctions intellectuelles et affectives au cours des maladies mentales.

Émotion. Manifestation affective passagère comme la peur, la colère, le chagrin, la joie ou l'amour. Le sujet n'en est pas toujours clairement conscient.

Équilibre mental. État d'harmonie dans lequel les facultés sont normalement hiérarchisées sans que l'une prédomine au détriment des autres.

Fantasme. Sorte de rêve éveillé qui relève de l'imagination.

Fantasmique. Qui correspond à un fantasme, c'est-à-dire à une vision ou à une valeur imaginaire très chargée affectivement qui sont des objets de croyance non mis en question et qui priment dans des comportements compulsifs (automatiques ou répétitifs).

Frustration. Souffrance parfois morbide, résultat de la privation d'une satisfaction importante sur le plan vital pour un individu.

Hallucination. Perception sensorielle fausse, sans objet extérieur et d'origine émotive ou chimique (drogues, alcool, etc.), qui peut s'associer à n'importe lequel des cinq sens.

Illusion. Interprétation fausse d'une expérience sensorielle réelle.

Impulsion. Action soudaine, non délibérée et de caractère impérieux.

Inconscient. Qui échappe (par définition) à la conscience réfléchie. On appelle aussi «inconscient» l'ensemble des processus psychologiques latents qui structurent les perceptions et les conduites à l'insu de la conscience réfléchie et de l'introspection.

Inhibition. Blocage ou freinage inconscient des pulsions instinctuelles.

Insight. Terme employé par les Anglo-Saxons pour désigner une prise de conscience.

Lapsus. Emploi dans la conversation d'un mot pour un autre. La substitution serait attribuable à des facteurs inconscients.

Libido. Énergie psychique ou pulsions habituellement associées à l'instinct sexuel. (Dans ce contexte, la sexualité comprend la recherche du plaisir et de l'objet d'amour.) Au sens large, la libido désigne toute énergie psychique associée aux instincts en général.

Logorrhée. Loquacité excessive.

Maturation. Processus d'évolution ou de développement interne qui aboutit à la maturité. Épanouissement complet des possibilités naturelles ou des fonctions spécifiques d'un organisme quel qu'il soit.

Moi. Le soi conscient, le «je». Selon Freud, c'est cette partie centrale de la personnalité qui est en rapport avec la réalité et sous l'influence de forces sociales. Le moi modifie la conduite par des compromis en grande partie inconscients entre les pulsions instinctuelles primitives (le ça) et les exigences de la conscience (le surmoi). Le moi constitue le médiateur aussi bien que le lieu de rencontre entre les pulsions inconscientes et les normes du sujet et de la société.

Motivation. Besoin, tendance ou aspiration qui, sans être l'objet de la conscience réfléchie, incite ou dispose un individu à avoir un certain comportement ou à prendre certaines décisions. La motivation est en quelque sorte le principe actif organisateur de la conduite à un niveau inconscient.

Narcissisme. Amour de soi. Au sens plus large, désigne l'intérêt que le sujet porte à lui-même; normal chez le jeune enfant, pathologique s'il persiste avec la même intensité chez l'adulte.

Névrose. Maladie mentale au cours de laquelle la conscience, l'effort de critique réaliste et la capacité de travail attentif se trouvent impraticables par suite d'une angoisse, d'une obsession, d'une idée fixe ou d'un automatisme de conduite et perturbent gravement l'adaptation au réel, à l'action ou à autrui. Le sujet éprouve la perte de la maîtrise de son comportement, de son attention et il en souffre.

Névrotique. Qui a trait à une névrose ou qui est du genre de la névrose.

Obsession. Idée, mot, image ou impulsion qui se présente involontairement à l'esprit et qui résiste à la logique et au raisonnement.

Paresthésie (sensibilité).

1. Anomalie de la perception des sensations consistant en retard, persistance, erreur de localisation, etc., des excitations tactiles, douloureuses, thermiques ou vibratoires.

2. Sensations pénibles variées survenant sans cause apparente telles que fourmillement, engourdissement, picotement, chaleur ou froid, constriction localisée, ruissellement de liquide, impression de marcher sur du coton, etc.

Pattern. Mot américain signifiant modèle, structure, forme.

Personnalité. L'ensemble des schèmes d'adaptation internes et externes à la vie.

Peur. Réaction affective provoquée par la prise de conscience de dangers extérieurs à soi. Se distingue de l'angoisse.

Phobie. Peur obsédante, persistante et non fondée d'un objet ou d'une situation comme la peur des endroits élevés, des grands espaces, de la saleté, des animaux. Cette peur résulterait du déplacement d'un conflit interne et inconscient sur un objet extérieur symboliquement relié au conflit.

Processus. Manière dont se développe ou se transforme un phénomène qui se produit ou évolue selon une certaine loi. Évolution active de...

Psychose. Maladie mentale au cours de laquelle le système entier des significations bascule dans le délire et s'organise en mettant à son service la totalité des fonctions psychiques. La communication se trouve coupée ou gravement compromise par manque de références à des significations communes. Le malade ne se rend pas compte (à la différence d'un cas de névrose) de son aliénation. Il vit «la vérité» de ses perceptions et de ses hallucinations.

Scotomisation. Rejet dans l'inconscient d'une réalité pénible à supporter. Forme de défense, d'aveuglement, d'oubli vis-à-vis de la perception d'une situation désagréable ou intolérable.

Sensorium. Terme voisin de conscience désignant les facultés de perception sensorielle avec leur corrélation centrale et leur intégration cérébrale. La clarté du sensorium implique une mémoire raisonnablement fidèle de même qu'une bonne orientation par rapport au temps, au lieu et aux personnes.

Stade du développement psychosexuel.

Stade oral. Comprend les phases érotiques orale et sadique-orale du développement psychosexuel de l'enfant depuis la naissance à l'âge d'un an environ. La première phase est caractérisée par le plaisir de la succion au cours de l'allaitement. La phase suivante est marquée d'agressivité (morsures). L'érotisme et le sadisme oraux persistent normalement jusqu'à l'âge adulte sous des formes déguisées et sublimées.

Stade anal. Phase du développement psychosexuel de l'enfant centrée sur les fonctions excrémentielles en composantes à la fois érotique et agressive et qui s'étend de l'âge d'un à deux ans et demi environ. A une époque ultérieure, l'érotisme et le sadisme anaux persistent normalement jusqu'à l'âge adulte sous une forme déguisée ou sublimée.

Stade phallique. Phase du développement psychosexuel de deux ans et demi à six ans durant laquelle l'enfant concentre son intérêt, sa curiosité et sa recherche du plaisir sur le pénis et, dans une certaine mesure, sur le clitoris.

Stress. Pression subite exercée sur un organisme, un sujet ou un groupe, par des circonstances ou par une situation imprévisible à laquelle il doit faire face d'urgence. Le stress provoque un choc ou un traumatisme proportionnel à son intensité et détermine des réactions automatiques (alarme, défense, fuite, choc physiologique, etc.).

Syndrome. Ensemble de symptômes qui permet souvent de reconnaître une maladie.

Testing. Attitude verbale ou non verbale qui aide à établir et à vérifier la valeur d'une relation. Les manifestations de «testing» sont diverses, imprévisibles et propres à la dynamique de chaque personne.

Tic. Mouvement involontaire spasmodique et intermittent, tel qu'une contraction musculaire. Un tic peut exprimer de façon déguisée un conflit latent ou relever de causes organiques.

Transfert. Déplacement inconscient sur d'autres personnes de sentiments et d'attitudes originellement reliés à des figures importantes des premières années de la vie (parents, phratrie, etc.). La relation transférentielle reproduit dans ses grandes lignes le prototype dont elle découle et sert de moyen thérapeutique au psychiatre qui aide le malade à comprendre ses troubles émotifs et à remonter à leur origine. Dans le rapport médecin-malade, le transfert peut être, soit négatif ou hostile, soit positif ou affectueux.

Traumatisme. Blessure ou dommage d'ordre physique ou psychologique.

Ouvrages consultés

Vocabulaire psychiatrique, Association canadienne pour la santé mentale, Montréal, 1963.

Éléments de vocabulaire psychologique et psychiatrique, Marie-Paule Vinay, Montréal, Éditions du Pélican, 1958.

Lexique de la psychologie, Arlette et Roger Mucchielli, «Les lexiques de l'entreprise», Paris, Éditions sociales françaises, 1969.

Dictionnaire des termes techniques de médecine, Marcel Garnier et Valery Delamare, Paris, Librairie Maloine, 1967.

Nouveau Petit Larousse, Paris, Librairie Larousse, 1969.

Comprehensive Book of Psychiatry, A. Freedman and H. Kaplen, Baltimore, The Williams Co., 1967.

2
RELATIONS SOIGNANTS-MALADES

1
PRINCIPES GÉNÉRAUX DES SOINS PSYCHIATRIQUES

QU'EST-CE QUE LES SOINS PSYCHIATRIQUES?
PRINCIPAUX BUTS DES SOINS PSYCHIATRIQUES
CARACTÉRISTIQUES DU MILIEU THÉRAPEUTIQUE
PRINCIPALES FONCTIONS DU SOIGNANT EN PSYCHIATRIE
PRINCIPES FONDAMENTAUX DES RELATIONS THÉRAPEUTIQUES AVEC LE MALADE

Qu'est-ce que les soins psychiatriques?

On pourrait les définir comme étant une spécialité des soins généraux qui se pratique dans un contexte psychiatrique et favorise l'apprentissage des relations interpersonnelles. Ceci implique la sensibilité, la perception et l'évaluation des besoins physiques et psychologiques du malade et la capacité d'y répondre de façon adéquate.

Principaux buts des soins psychiatriques

- Établir avec les malades un rapport, un contact, un échange humain et thérapeutique.

- Acquérir une habileté à observer, à évaluer et à répondre aux besoins que le malade réclame à travers son comportement et à l'aider à vivre sa vie quotidienne.

- Réfléchir sur notre propre comportement, nos réactions, nos émotions vis-à-vis des malades.

- Contribuer à la création d'un milieu thérapeutique par une atmosphère qui favorise au maximum le travail d'équipe.

Caractéristiques du milieu thérapeutique

Un milieu thérapeutique répond au besoin du malade de sorte que ce dernier puisse atteindre un état de confort propice à la réalisation de ses possibilités et au progrès vers sa maturité.

Ce milieu doit se caractériser par une atmosphère chaleureuse. L'inconnu fait toujours peur; il faut donc une atmosphère accueillante et un premier contact chaleureux et compréhensif de la part de l'équipe pour atténuer l'inquiétude du malade.

Puisque le milieu contribue à sa réhabilitation, il est donc nécessaire de connaître les facteurs qui peuvent aider à la création d'un tel milieu thérapeutique.

Il satisfait les besoins immédiats et fondamentaux: alimentation, sommeil adéquat, hygiène personnelle, protection contre le danger qu'ils représentent pour eux-mêmes et pour autrui.

Il est compréhensif. Un milieu compréhensif n'est pas un milieu dans lequel les actions de quelqu'un sont jugées bonnes ou mauvaises, mais plutôt un milieu où le malade est respecté comme une personne qui a certains droits, besoins et opinions. On doit se souvenir que le comportement d'une personne est simplement le reflet de ses besoins, de ses expériences passées et de la situation présente. Il faut l'accepter tel qu'il est si on veut arriver à le comprendre.

Il est démocratique. On peut définir cette démocratie comme une liberté accordée en fonction des responsabilités assumées. Par conséquent, une très grande flexibilité est nécessaire et un tel milieu, tout en étant quelque peu restrictif, peut être considéré comme démocratique. Un milieu démocratique doit comporter peu de restrictions et une liberté de choix de plus en plus grande à mesure que le malade devient capable d'assumer un plus grand nombre de responsabilités.

Il fournit un terrain d'essai. Un milieu thérapeutique doit fournir un terrain d'essai pour l'établissement de nouvelles normes de comportement. A mesure qu'il se rétablit, le malade développera de nouvelles façons de réagir devant les événements de la vie. Au début, il peut tâtonner un peu et essayer plusieurs choses avant de trouver la manière efficace pour faire face à ses problèmes. Pendant qu'il est à la recherche de nouveaux moyens d'adaptation, il peut manifester des tendances destructives et agressives. Le milieu doit lui fournir un terrain d'essai pour toutes sortes de comportements, même si certains ne seraient pas acceptables dans le milieu où le malade vivait précédemment.

Principales fonctions du soignant en psychiatrie

On pourrait dire tout d'abord que le soignant participe au mode de vie du malade hospitalisé en travaillant avec la réalité quotidienne, le réel, le vécu de tous les jours de celui-ci.

Son rôle primordial est de pouvoir observer le comportement du malade, ses réactions et les situations telles qu'elles sont vécues par lui à chaque instant de la journée, afin de percevoir ses besoins et d'y répondre au moyen d'un échange valable, un contact thérapeutique.

Principes fondamentaux des relations thérapeutiques avec le malade

Être capable d'empathie avec le malade. Par empathie, nous voulons parler d'une attitude qui nous dispose à capter les sentiments, les émotions et les désirs intérieurs de l'autre personne, à vivre dans un certain sens son expérience, à être capable de se mettre à sa place, sans toutefois s'identifier à lui et sans éprouver pour autant les mêmes émotions. Ceci implique donc une objectivité, une honnêteté et une disponibilité pour recevoir le message de l'autre tel qu'il le communique.

Avoir une intention authentique, c'est-à-dire un désir de le comprendre dans son propre langage, de recevoir, d'accueillir ce qu'il veut dire, ce qu'il éprouve sans critique, ni culpabilisation, ni préjugé.

Pouvoir l'accepter tel qu'il est, avec ses symptômes et sa pathologie. Ceci ne signifie pas approuver ses attitudes, ses réactions, ses façons d'agir, mais accepter sa réalité, son vécu. (On a tous besoin de se sentir accepté pour s'accepter soi-même.)

Acquérir une habileté à lui fournir un terrain d'essai pour qu'il trouve de nouvelles normes de comportement; il faut avoir une attitude de disponibilité et d'intérêt qui l'encourage constamment à exprimer spontanément ce qu'il ressent.

Développer une sensibilité et une capacité à percevoir et à évaluer ses besoins afin d'y répondre d'une façon thérapeutique.

Suivre son rythme. C'est savoir le respecter comme un être humain, savoir l'attendre à certains moments et l'aider à évoluer personnellement et selon ses possibilités vers une socialisation.

Avoir une continuité, une cohérence dans son approche. Par continuité, on ne veut pas dire quantité de temps passé auprès de lui, mais qualité du temps.

Être capable de s'observer soi-même vis-à-vis du malade. Cette relation thérapeutique, le soignant l'établit graduellement avec le malade.

Il prévoit d'abord un accueil chaleureux; il se présente, se situe dans son rôle, lui présente l'équipe et les autres malades, lui fait visiter les locaux, lui explique les horaires, les activités et lui témoigne la plus grande attention afin de le mettre à l'aise le plus rapidement possible.

Il pourvoit à ses besoins immédiats et fondamentaux: alimentation, hygiène personnelle, sommeil, protection.

Il observe: cette observation vise à comprendre son comportement.

Il apprend à l'écouter. Écouter n'est pas questionner; il faut laisser au malade l'initiative de discuter ses problèmes personnels. Ce dernier peut à un moment donné faire des confidences qu'il pourrait regretter quelques instants plus tard.

«L'écoute compréhensive» nécessite une attitude de disponibilité de la part du soignant qui permette au malade de s'exprimer lorsque celui-ci en ressent le besoin et non une attitude d'investigation pour lui arracher du matériel et satisfaire ainsi sa curiosité.

Cette disponibilité exige un effort constant pour l'écouter et saisir le problème tel qu'il le vit. L'intérêt ne doit pas se porter seulement sur le problème, mais surtout sur la façon dont il est ressenti et vécu.

Il l'aide à se socialiser, l'accompagne graduellement vers les autres et l'encourage à participer aux activités de groupe, d'ergothérapie, etc.

Il effectue certaines techniques de soins: distribution des médicaments, injections, etc.

Il contrôle à certains moments son comportement et établit avec l'équipe des limites quand il y a lieu.

Tous ces rôles sont importants et c'est à travers la qualité de ses gestes quotidiens qu'il établit une relation valable avec le malade.

Son rôle le plus difficile est certes celui de l'observer dans toute sa totalité au niveau de sa réalité de tous les jours, afin de comprendre sa façon d'agir et son vécu.

Dans cette optique, le rôle d'observateur peut prendre alors une dimension nouvelle, puisqu'à partir de son observation, il réfléchit et cherche à saisir ce que le malade veut traduire et réclamer à travers son comportement. Ceci l'amène alors à se poser constamment des questions:

- qu'est-ce que le malade veut dire en agissant comme il le fait?
- que cherche-t-il à nous faire comprendre?
- dans quelle mesure mon propre comportement peut-il influencer le sien?
- quels sont ses besoins?

A la suite de cette réflexion, une autre question se pose:

- comment répondre aux besoins du malade d'une façon adéquate, thérapeutique?

Malheureusement, il n'y a pas de réponse toute faite, de ligne de conduite précise ou de recette. Il n'y a pas de liste de choses à lui dire et de choses à ne pas lui dire, tout dépend de la façon de dire et d'agir avec lui.

Il est important de discuter du programme thérapeutique avec l'équipe soignante et le médecin traitant, afin de donner une orientation à nos attitudes vis-à-vis du malade, de sorte qu'elles soient cohérentes, mais il faut tenir compte du fait que chaque soignant travaille et agit avec toute sa personnalité, qu'il réagit avec ses propres émotions, avec ses propres sentiments.

L'observation alors ne se limite plus au malade seulement, mais au soignant lui-même. Ses gestes, ses paroles, ses mimiques, ses intonations de voix et sa façon d'agir sont des aspects qui doivent être honnêtement révisés.

Trop souvent on ne porte pas assez d'attention à la façon de dire ou de faire avec le malade. On se préoccupe de sa réaction, mais pas assez souvent de ce qui a pu provoquer cette réaction. Si le soignant peut examiner sa façon d'agir et l'effet qu'elle a sur le malade, s'il peut la remettre en cause pour chercher une attitude plus satisfaisante, il arrivera ainsi à acquérir une certaine habileté à répondre d'une façon qui soit positive. C'est, sans aucun doute, un moyen utile de faire l'apprentissage des relations avec les malades.

2
MÉTHODE D'OBSERVATION DU MALADE

Définition de l'observation

L'observation est un processus actif qui exige une perception aiguisée des choses qui nous entourent et demande que nous soyons alertes à les saisir.

Dans les soins psychiatriques, l'observation doit viser à comprendre le pourquoi du comportement du malade.

Quelques caractéristiques d'une observation valable

Elle est intentionnelle: l'intention peut être générale ou spécifique.

- Générale: par exemple, on observe le comportement général du malade à son arrivée dans l'unité.
- Spécifique: par exemple, on observe sa réaction pendant et après une activité ou un traitement.

Elle est préparée: c'est-à-dire qu'on ne s'arrête pas à observer les malades seulement en passant, mais on organise son travail afin de pouvoir passer la majeure partie de son temps avec eux et remarquer ainsi leur évolution et leurs réactions au niveau de la réalité quotidienne.

Elle est objective: nous voulons parler plus précisément de l'aptitude à rapporter les faits observés chez le malade, à l'état «brut», c'est-à-dire d'une façon exacte, précise et non influencée par nos impressions ou déductions personnelles.

Le soignant comme observateur

Il peut avoir trois fonctions primordiales: être spectateur, participant et introspectif.

Être spectateur; ceci demande une certaine distance pour permettre l'observation globale du comportement du malade avant d'engager une interaction avec lui.

Être participant; ceci suppose un engagement actif dans l'interaction, par exemple, lors d'une participation à des activités avec un malade ou un groupe de malades ou lors d'une intervention pendant une conversation.

C'est un partage avec lui. C'est l'observation totale de celui-ci tout en participant à sa vie quotidienne à l'hôpital.

Être instrospectif; ceci nécessite l'observation de soi-même, donc la capacité de découvrir et de comprendre ses propres réactions face au malade afin de prendre conscience de l'influence que notre action peut avoir sur son comportement. On pourrait dire que l'habileté à développer son sens d'observation vis-à-vis du malade dépendra en grande partie de la possibilité de s'observer.

Quelques remarques à propos de l'observation

Au point de vue de l'apparence:

- Intérêt (manquant, raisonnable ou excessif) du malade pour son apparence.
- Souci des hommes pour leur barbe et leur tenue.
- Maquillage extrême ou bizarre.
- Convenance des habits portés.
- Propreté générale.

Au point de vue du langage

- Il parle peu ou beaucoup, ou bien il ne parle pas.
- Sur quel sujet portent ses propos.
- A qui surtout il parle.
- Il fait des vers ou des jeux de mots.
- Il répète ce que les gens disent.
- Il redit toujours la même chose.
- Il met du temps à répondre aux questions.
- Il s'exprime par monosyllabes.
- Il est difficile de comprendre ce qu'il essaie de dire.
- Il entre dans les petits détails et parle à qui veut l'écouter.
- Il saute d'un sujet à l'autre.
- Il fait des commentaires ou des allusions se rapportant au suicide.

Au point de vue des occupations

- Il se tient occupé ou non durant la journée et si oui, à quoi.
- Il témoigne le désir d'aller à l'atelier d'ergothérapie.
- Il a tendance à être extrêmement méticuleux et difficile à satisfaire.
- Il abandonne une chose pour en entreprendre une autre sans jamais rien achever.
- Il hésite à demander de l'aide quand il en a besoin.
- Il paraît très occupé, mais ne semble pas accomplir grand chose.

Au point de vue de la sociabilité

- Il semble préférer être seul.
- Il s'est choisi un ami quelconque, un ami fixe ou non.
- Il recherche seulement la présence des soignants.
- Il jouit de la compagnie des autres ou en semble contrarié.
- Comment il réagit en compagnie des personnes du sexe opposé.
- Il craint d'être seul.
- Il se joint aux manifestations d'activité générale volontairement ou à contrecœur
- Il est très «critiqueur» ou cause du trouble durant les activités, réunions, etc.
- Comment il se sent après toute activité sociale.

Au point de vue des activités

- Il est suractif (agité).
- Il bouge sans but.
- Il s'asseoit tranquillement sur une chaise.
- Il demeure longtemps immobile; par exemple, debout à regarder fixement par la fenêtre.
- Ses mouvements sont lents ou tendus.
- Ses gestes sont explosifs.

Au point de vue de l'humeur

- Il paraît triste, indifférent, distrait, apathique ou nerveux.
- Son humeur subit un changement marqué.
- L'humeur est appropriée aux circonstances.

Au point de vue de l'alimentation

- Il a besoin d'être poussé à manger ou décidé par des compliments ou des gentillesses.
- Il mange parce que c'est la coutume.
- Il mange gloutonnement ou du bout des dents.
- Il mélange des aliments ou les mange séparément.
- Il commence par le dessert et procède à reculons: dessert, viande, potage.
- Il prend la nourriture dans les autres plateaux.

- Il faut le nourrir à la cuillère.
- Il ne peut pas décider par quel aliment commencer.

Au point de vue du sommeil

- Les médicaments ont été donnés.
- Il a dormi profondément.
- Il était éveillé dans son lit, mais calme.
- Il se lève fréquemment.
- Il dérange les autres malades.
- Il dort davantage le jour.
- Il demande d'autres médicaments et se montre contrarié de n'en pas recevoir.

Au point de vue de la médication

- Il réclame souvent des médicaments.
- Il les prend sans difficulté.
- Il les refuse.
- Il cherche à les accumuler.
- Il fait semblant de les prendre.
- Il semble préférer les injections.

Quelques indications pour la rédaction des observations

Les résultats d'un soin physique ou d'un traitement (perfusion, injection, cure de sommeil, «pack», etc.) doivent être soigneusement notés.

La terminologie psychiatrique n'est pas nécessaire. Mieux vaut décrire le comportement des malades que d'employer des termes qui seront interprétés de manières différentes. Par exemple, le malade semble anxieux, se promène de long en large dans la salle de séjour, au lieu de dire: malade anxieux.

Les phrases devraient être construites naturellement et avoir une signification exacte. De bons termes descriptifs en français simple, sans interprétation, sont toujours les meilleurs.

Lorsqu'on se sert de citations pour mettre en évidence les paroles textuelles du malade, il faut employer les mêmes termes que lui et à la même personne. Par exemple, le malade a dit: «Je vais me sauver ce soir.», et non: le malade a dit qu'il allait se sauver ce soir.

Le rapport d'entrée

C'est l'observation du.malade à son arrivée et durant les premiers jours de son hospitalisation (présentation, tenue, apparence, comportement, réactions, etc.). Ce rapport est rédigé par le soignant qui l'accueille et est habituellement versé au dossier du malade.

Le rapport mensuel

C'est le résumé des observations journalières sur le malade rédigé par le soignant à la fin de chaque mois. Ce rapport doit donner une vue d'ensemble du comportement du malade et doit permettre de voir le progrès ou la régression de celui-ci et ainsi renseigner l'équipe.

TRAVAUX CLINIQUES

Organisation du travail quotidien dans une unité de soins

Jour:

Nombre de malades:

Nombre de malades participant à la vie de groupe:

Nombre de malades isolés dans leur chambre:

Énumérez les traitements particuliers à assumer dans votre unité et le temps nécessaire à leur réalisation.
(Pack, cure de sommeil, cure de désintoxication, traitements physiques, toilettes des malades, etc.)

A quelles réunions devez-vous assister? Indiquez le temps que vous y passez.

Détaillez l'horaire et l'organisation de votre temps dans votre unité.
Tel que vous l'avez prévu:
Tel que vous l'avez réalisé:

Principaux obstacles que vous avez rencontrés:

Observations sur le déroulement de cette journée:

Observation du malade: rapport d'entrée

Rédigez un rapport d'entrée d'un malade que vous accueillez.

Nom du malade: Age:

Date d'admission:

Médecin traitant:

Hospitalisations antérieures:

Courte histoire sociale:

Raisons de l'hospitalisation actuelle:

Traitements et projets thérapeutiques:

Rapport de vos observations à l'entrée du malade et durant la première semaine où vous l'avez en charge.

Observation du malade: rapport mensuel

Rédigez vos observations hebdomadaires sur un malade que vous avez en charge.

Nom du malade: Age:

Date d'admission:

Médecin traitant:

Hospitalisations antérieures:

Courte histoire sociale:

Raisons de l'hospitalisation actuelle:

Traitements et projets thérapeutiques:

Observations de la première semaine:

Observations de la deuxième semaine:

Observations de la troisième semaine:

Observations de la quatrième semaine:

Rédigez maintenant votre rapport mensuel ou résumé de vos rapports hebdomadaires.

Observation du malade à l'atelier d'ergothérapie

Nom du malade: Age:

Profession ou métier:

Prescription médicale ou indication d'ergothérapie en vue de:

Décrivez l'arrivée du malade à l'atelier et sa première journée d'atelier. (Tenue, attitude, gestes, paroles face à vous, au travail, au groupe de malades.)

Quels sentiments vous animent vis-à-vis de son attitude à la fin de la première journée?

Évolution positive ou négative observée durant:
la première semaine:
la deuxième semaine:

Rapportez ci-dessous l'essentiel de vos observations sur ce malade à l'atelier, durant ces deux semaines, en vue du dossier médical.

3
CONCEPT DES BESOINS

QU'EST-CE QU'UN BESOIN?
NIVEAUX DES BESOINS
TABLEAU
TRAVAIL CLINIQUE

Qu'est-ce qu'un besoin?

On a défini le besoin comme étant un état de l'organisme existant à l'intérieur d'une personne et provoquant une certaine activité.

Lorsqu'un état de tension rompt l'équilibre chez une personne et produit un certain degré de malaise, il se développe alors un besoin. Ce malaise que ressent la personne en question la pousse à faire quelque chose pour arriver à établir un certain équilibre.

Chaque personne réclame des besoins, mais à des niveaux différents. Nous expérimentons tous dans la vie des périodes de tension, d'anxiété, d'angoisse et évidemment nous ressentons à ce moment le besoin de nous défendre pour nous soulager de ces malaises et nous adapter à ces situations difficiles.

Ces états de tension qui font partie de la condition humaine peuvent se manifester dans n'importe quelle situation qui constitue une menace à l'intégrité personnelle; par exemple, devant les moments difficiles de la vie, devant le choix d'une décision, devant une frustration, une déception, etc.

La façon de se défendre sera différente d'une personne à l'autre et pourra être contrôlée plus ou moins, inconsciemment et automatiquement, par l'utilisation de divers mécanismes de défense. (Par exemple, rationalisation, négation, sublimation, déplacement, projection, etc.) On a déjà vu que ces mécanismes peuvent être employés d'une façon saine ou d'une façon pathologique.

On dira qu'un mécanisme de défense est utilisé d'une façon pathologique lorsque quelqu'un, par exemple, se sert de ce processus psychologique d'une façon trop fréquente et trop intense. Ce qui arrivera bien souvent à ce moment-là, c'est que le mécanisme de défense ne suffisant plus, on verra apparaître des symptômes et un comportement perturbé.

On pourrait se demander alors quels sont ces besoins réclamés par toute personne.

Il y a eu plusieurs tentatives d'énumération et de classification des besoins. Bien sûr, il n'est pas facile de vouloir clarifier le concept des besoins humains parce que ceux-ci varient en intensité selon la personne; cependant, les besoins fondamentaux sont, sans aucun doute, les mêmes pour chacun de nous.

Niveaux des besoins

Le concept de Maslow nous aide assez bien et d'une façon assez simple à comprendre le comportement humain. Il suggère le concept de cinq niveaux de besoins qui s'échelonnent des besoins physiologiques jusqu'à ceux qui représentent le plus haut niveau de développement. (Voir page suivante.)

A mesure que l'enfant se développe et que ses besoins de base sont satisfaits, il est libre d'accéder à un niveau supérieur.

D'un autre côté, si les besoins de base ne sont pas satisfaits suffisamment, ces derniers réclameront sans doute toujours la priorité et empêcheront la personne d'accéder à un niveau supérieur, c'est-à-dire que ceci lui nuira dans l'évolution de sa maturité. Chaque personne a besoin de se sentir à l'aise et satisfaite par la réalisation de ces besoins, encore plus le malade mental.

Pour arriver à comprendre les besoins de ce dernier, il faut avant tout être capable de l'observer.

Après quoi, nous pouvons nous orienter vers cette réflexion:
- qu'est-ce que le malade veut dire en agissant comme il le fait?
- que cherche-t-il à nous faire comprendre, que veut-il exprimer?
- quels sont ses besoins réclamés à travers ce comportement?

Cette réflexion nous oblige à aller au-delà de la demande immédiate du malade. Ce dernier ne peut toujours réclamer directement ce dont il a besoin; il prend fréquemment ces moyens détournés.

C'est donc à l'équipe de saisir et percevoir ces besoins et trouver les moyens pour y répondre de façon satisfaisante.

Dans cette optique, ne serait-il pas valable et utile d'utiliser ce concept des besoins dans les relations avec le malade pour arriver à une meilleure compréhension de son comportement?

Le 1er niveau se composerait des *aspects physiologiques* de base comme l'alimentation, le confort, la chaleur, etc.

Le 2e niveau comprendrait les *besoins de sécurité* comme la nécessité de se protéger contre les dangers extérieurs pouvant nous faire quelque tort, le fait de dépendre de quelqu'un, de quelque chose, de pouvoir prévenir ce qui peut arriver, de connaître les sentiments des autres à son égard, etc.

Le 3e niveau comprendrait le *besoin d'amour:* être l'objet de l'amour, de la tendresse, de l'affection, de l'attention d'une autre personne; se sentir aimé, apprécié et compris.

Le 4e niveau comblerait un *besoin d'estime,* de reconnaissance comme le respect et l'estime de soi aussi bien que des autres, la nécessité d'être connu avec nos capacités et nos limites, de se sentir important ou du moins nécessaire aux yeux de quelqu'un.

Le 5e niveau comporterait le *besoin de réaliser quelque chose par soi-même,* de se sentir utile et autonome, c'est-à-dire d'être capable d'utiliser son potentiel, ses possibilités, pour mettre un projet à exécution, arriver à le réaliser et à le réussir.

«Maslow suggère le concept de cinq niveaux de besoins[1].»

Réaliser quelque chose par soi-même.
Estime (respect et estime de soi aussi bien que des autres)
Amour (objet d'amour, de tendresse d'une autre personne)
Sécurité (éviter les dangers de l'extérieur)
Faim et Soif (physiologie de base)

A mesure que les besoins de base sont satisfaits, on a libre accès à un niveau supérieur.

1. Brown & Fowler, *Psychodynamic Nursing*, 2nd ed., Philadelphia, W.B. Saunders, 1961, p. 19.

Besoins du malade révélés par son comportement

Exposez un problème de soins psychiatriques que vous percevez chez votre malade et qui vous cause des difficultés (comportement et réactions du malade).

Quelles sont vos difficultés vis-à-vis ce comportement du malade?

Comment agissez-vous avec le malade qui a ce comportement? Pourquoi?

Auriez-vous envie d'agir autrement? Si oui, comment?

De quelles façons réagit-il devant votre attitude?

Quels besoins selon vous révèle ce comportement du malade? Expliquez-les.

4

COMMUNICATION NON VERBALE

INTRODUCTION
COMMUNICATION NON VERBALE CHEZ L'ENFANT
COMMUNICATION NON VERBALE DANS LA SOCIÉTÉ
COMMUNICATION NON VERBALE CHEZ LE MALADE MENTAL
TRAVAIL CLINIQUE

Introduction

On pourrait définir la communication non verbale en disant que c'est un mode d'expression ou un mode d'échange sans l'usage de la parole ou un mode qui sert à illustrer ou à appuyer la parole. Le mode non verbal devient une communication en autant qu'il suscite une réponse, une réaction chez l'autre.

Cette communication peut se traduire par des gestes, des attitudes, des postures, des expressions faciales ou des intonations de voix. On peut dire que toutes les attitudes ont un sens expressif: on peut exprimer sa joie, sa peur, son angoisse, son étonnement, son chagrin ou sa colère non seulement avec des mots mais par des attitudes, des mimiques, des regards, des intonations et des postures. Le rire, les larmes, le silence par exemple sont autant de moyens d'expression que nous utilisons tous à un moment ou l'autre dans notre vie quotidienne.

La communication non verbale existe dans toute situation d'échanges; elle peut transmettre toute forme de sentiments et elle peut parfois être utilisée consciemment et devenir un puissant outil dans les relations avec les autres.

Dans les relations interpersonnelles, ce qui n'est pas dit est parfois tout aussi important, sinon plus, que ce qui est dit. Les idées, les sentiments, les émotions peuvent être communiqués efficacement par le seul moyen de gestes. Ils servent d'appui au langage, illustrent et clarifient le contenu de ce qui est dit verbalement. Par contre, ils peuvent aussi exprimer le contraire de ce que l'on dit: les gestes peuvent sous-entendre par exemple que la personne ne croit pas ou ne sent pas vraiment ce qu'elle dit.

Communication non verbale chez l'enfant

Chez le jeune enfant, il est facile de constater que la communication non verbale est d'abord le seul langage. Il communique avec sa mère et son entourage par des pleurs pour réclamer ses besoins, exprimer sa peur, sa douleur ou sa faim. Il communique aussi avec tout son corps. Ainsi, lorsqu'il est fâché, il remue les bras, les mains et sa figure devient rouge. Nous pourrons alors voir sa mère répondre à cette communication en serrant l'enfant dans ses bras par exemple.

Ensuite, il apprend à sourire à sa mère; il perçoit donc, dit-on, l'amour qui lui révèle l'expression de l'autre. Il répond à l'apparition souriante d'un autre visage humain.

Plus tard, il gesticule pour exprimer ses besoins. Il sautille ou bat des mains pour exprimer sa joie, frappe ou pleure pour exprimer son impatience ou sa colère. Il commence à émettre des sons qu'il sélectionne par rapport à l'intonation de la voix qu'il entend dans son entourage. C'est l'étape préparatoire à la communication verbale.

Communication non verbale dans la société

Il faut aussi souligner l'utilisation de la communication non verbale comme moyen d'expression dans la société, moyen qui peut être illustré par quelques exemples:

- la peinture, l'écriture, le dessin, la musique,
- le mime, la pantomime, la danse (citons par exemple le mime Marceau, le danseur Maurice Béjart),
- la religion avec ses rituels et ses symboles,
- les systèmes de langages par signes qui peuvent être employés en excluant totalement le langage parlé, comme les signaux marins par drapeaux (sémaphore), le langage des sourds-muets, la signalisation routière, etc.,
- les gestes conventionnels passés dans l'usage ordinaire et quotidien, tels la poignée de main, le baiser, le salut militaire, etc.

On pourrait aussi parler du langage par signes de sociétés secrètes qui adoptent certains gestes permettant à leurs membres de se faire reconnaître en public par d'autres membres de leur société.

Le degré d'utilisation du geste peut certes varier selon les personnes. Certains auteurs affirment même qu'il y a facteur de nationalité. Par exemple, le Méditerranéen est reconnu, semble-t-il, pour sa propension à gesticuler, tandis que le Nordique restreint ses tendances aux gestes et aux manifestations émotives. Le geste pourrait donc varier en signification et en méthode d'un pays à l'autre...

Communication non verbale chez le malade mental

Puisque la communication non verbale existe et est utile dans tout échange humain, il est donc primordial d'en saisir l'importance et l'intensité dans nos relations avec les malades.

L'équipe soignante qui s'adresse au malade mental devrait être soucieuse de la saisir, la comprendre et même de l'utiliser à certains moments.

Le malade ne peut pas toujours exprimer verbalement ce qu'il ressent; il peut avoir de la difficulté à employer le mode verbal. Certains sont trop angoissés ou trop inhibés et ne savent plus s'exprimer avec des mots. Ils n'ont plus que leurs gestes, leurs attitudes, leurs regards ou leurs mimiques pour se faire comprendre. Par exemple, le malade peut s'isoler dans sa chambre pour exprimer sa crainte des autres; il peut refuser la poignée de main qu'on lui offre pour faire sentir qu'il est fâché; il peut nous suivre des yeux pour signifier qu'il attend qu'on s'occupe de lui, etc.

C'est donc à l'équipe de reconnaître cette difficulté que peut avoir le malade à communiquer sur le plan verbal; c'est à elle de chercher à comprendre la signification de sa communication non verbale et de trouver la façon d'y répondre. Parfois un geste, un regard est plus efficace qu'une parole. La communication non verbale n'est pas en soi un moyen d'expression pathologique pour le malade, mais elle peut traduire un symptôme de sa maladie.

Par exemple, on peut se retrouver fréquemment en présence d'un malade silencieux, enfermé dans son mutisme, et il peut paraître difficile de supporter ce silence. Le malade revêt toujours un aspect un peu énigmatique et il peut y avoir dans le silence quelque chose d'attirant et de redoutable à la fois, comme s'il y avait parfois une peur magique du silence, comme si celui-ci portait une menace. Il peut alors provoquer le soignant à parler coûte que coûte pour remplir ce silence en face du malade. Il peut donner l'impression de vide, d'inefficacité personnelle; il peut donner le sentiment de perdre son temps; on peut aussi craindre le jugement de l'autre qui s'enferme dans ses pensées sans explication. L'essentiel est cependant d'essayer de comprendre la signification de ce silence: que traduit-il, que veut-il exprimer? Mais pour le comprendre faut-il encore pouvoir le tolérer! Parfois une présence silencieuse suffit pour sécuriser le malade et le mettre en confiance.

Quelle que soit la situation avec le malade, il existe toujours une part d'échanges non verbaux, dans un sens comme dans l'autre. Pour saisir cet aspect dans l'interaction, il suffit d'observer dans les deux sens, mais cette observation exige une capacité d'attention à l'autre et de réception à son égard.

C'est un soignant qui expliquait en ces termes la communication non verbale:

«Le soignant qui ne saurait percevoir ce mode de communication chez un malade serait un peu comme un caissier ne sachant compter; il ne pourrait évaluer la valeur de son argent, ni rendre la monnaie!»

TRAVAIL CLINIQUE

Communication non verbale

Donnez un exemple de communication non verbale au cours d'une rencontre entre vous et un malade.

Comment avez-vous perçu ou senti cette communication?

Quelle a été votre attitude face à cette communication non verbale?

Expliquez l'importance que vous accordez à la communication non verbale dans les relations avec les malades.

5
PHASES D'UNE RELATION THÉRAPEUTIQUE

Introduction

L'apprentissage des relations avec les malades exige une réflexion constante sur ce que l'on fait et sur la façon de le faire, d'où la nécessité de bien se situer dans son rôle de soignant pour mieux le comprendre.

Observer le comportement et les réactions des malades à chaque instant de la journée, reconnaître les symptômes de la maladie, les problèmes de soins qui en découlent et auxquels nous devons faire face, voilà les deux tâches dont nous avons pu vérifier l'importance dans la pratique quotidienne auprès des malades. Nous devons saisir la portée de notre approche, de nos interventions, de nos gestes faits pendant le lever, la toilette, la prise des médicaments, les différents traitements, les repas, les activités et le coucher des malades.

C'est au niveau de cette réalité quotidienne, de ces gestes journaliers que se situe le rôle du soignant, car les relations s'établissent à travers ces gestes.

Même en sachant ce qu'on fait, il faut pouvoir s'arrêter sur la manière dont on le fait; donc, arriver à évaluer, à critiquer et à modifier sa façon d'agir suivant les besoins des malades.

On peut dans notre travail utiliser le concept des besoins comme point de repère pour nous permettre d'amorcer une réflexion; que veut dire le malade en agissant ainsi, que traduit-il, que réclame-t-il, de quelle façon pouvons-nous lui répondre?

Ce processus d'interrogation sur ce qu'on fait et comment on le fait nous entraîne à réfléchir sur la valeur de nos relations. Si difficile que puisse être l'évaluation qualitative de notre approche, il s'avère indispensable d'acquérir une certaine aptitude à examiner et à réviser son action. Le plan de soins peut alors devenir un outil de travail intéressant, indispensable même, si l'on considère son rôle de soutien essentiel à notre réflexion.

Il est possible de déterminer certains critères pour qu'une relation individuelle ou de groupe soit thérapeutique; ce sont par exemple, l'empathie, l'acceptation du malade comme il est, l'habileté à lui fournir un terrain d'essai pour qu'il s'exprime et trouve de nouvelles normes de comportement, une sensibilité et une capacité à percevoir ses besoins afin d'y répondre adéquatement.

Ces critères peuvent aider à mesurer notre engagement thérapeutique mais demeurent insuffisants pour comprendre la progression de nos relations avec les malades.

Il existe certains phénomènes relationnels qui permettent une sensibilisation aux différentes phases d'une relation thérapeutique, mais ils ne peuvent que servir de jalons pour une clarification et une meilleure compréhension du déroulement de la relation.

On ne peut cependant tracer de ligne précise entre les différentes phases d'une relation, le passage de l'une à l'autre, par suite de leur continuité, étant souvent imperceptible. De plus, le malade n'accédera pas forcément à toutes les phases.

Processus d'évolution

Première phase

Il apparaît assez évident qu'une première phase dite *phase d'orientation* peut se dégager dans toute relation humaine: c'est l'établissement du premier contact, du premier rapport avec l'autre. On se présente mutuellement; on se situe l'un par rapport à l'autre pour faire connaissance.

Avec le malade, c'est habituellement le soignant qui prend l'initiative de ce premier contact: il s'oriente vers lui pour faire sa connaissance. Il établira parfois ce premier contact au moment même de l'accueil ou à travers un geste quotidien comme la distribution des médicaments, la toilette, un traitement. C'est lui qui doit se présenter le premier, se situer auprès du malade, lui expliquer ses horaires, ses congés, et, si celui-ci vient d'entrer, lui faire visiter le service, lui présenter les autres malades et les autres soignants.

C'est la première étape pour établir une relation. Celle-ci s'engagera immédiatement par de multiples interactions.

Peuvent apparaître alors différents phénomènes tel le «testing», attitude verbale ou non verbale pour sonder l'autre, le mettre un peu à l'épreuve. Ces manifestations de «testing» sont diverses, imprévisibles et propres à chacun.

Avec le malade, cette période de «testing» sera plus évidente et pourra même exister tout au long de la relation. Au début, il aura surtout besoin de vérifier si l'équipe soignante l'accepte vraiment. Il pourra employer toutes sortes de moyens qui seront différents suivant sa pathologie et ses symptômes. Par exemple, il pourra simuler l'indifférence vis-à-vis de l'attention qu'on lui porte ou tentera de scandaliser, de bouleverser les soignants par des paroles propres à susciter une condamnation; il se montrera désagréable, irritant, agressif afin de voir si on le rejettera, etc.

Si l'équipe discerne et comprend cette manifestation, l'acceptation du malade lui sera facilitée.

Deuxième phase

On peut aussi remarquer une *phase d'identification* qui est perceptible dans toute relation humaine à des niveaux différents. C'est un processus inconscient par lequel le sujet cherche à se modeler sur l'image d'autrui et qui est primordial dans le développement de la personnalité et du surmoi.

Dans la relation avec le malade, il peut arriver que le soignant s'identifie au malade: il peut reconnaître en lui des symptômes, se sentir concerné personnellement et affectivement par ce que le malade dit ou fait, éprouver les mêmes émotions ou trop chercher à se mettre à la place du malade. Ce risque d'une trop grande implication peut survenir surtout au début d'un apprentissage en psychiatrie.

Par contre, il se peut aussi que le malade s'identifie au soignant: il peut l'imiter, essayer de jouer son rôle auprès des autres malades. Il peut aussi lui projeter un rôle, comme celui de père ou de mère.

Troisième phase

A mesure qu'un climat de confiance se crée, il est possible de découvrir un phénomène de dépendance. Le malade peut devenir plus dépendant du soignant. Ses problèmes émergeront davantage dans la relation, il pourra même se servir du soignant à certains moments comme «table de résonance» ou de «bouc émissaire» sur lequel il déplacera ses problèmes, ses conflits, son agressivité, etc. Il pourra aussi lui faire jouer un rôle de bon ou de mauvais personnage.

C'est peut-être l'étape la plus difficile, celle où le soignant doit faire preuve de beaucoup d'empathie pour comprendre que ces manifestations sont le reflet de la pathologie du malade et qu'il n'est pas, lui, directement en cause.

Ces différents phénomènes, plus perceptibles dans cette troisième phase, varieront d'un malade à l'autre plus ou moins intensivement selon la pathologie. Son engagement simultané et à différents niveaux pourra l'amener à singulariser ses comportements selon les soignants.

Cette phase pourrait s'appeler *phase d'exploitation,* car c'est le moment où l'on examine et scrute la relation, où l'on cherche à cerner les problèmes relationnels.

L'importance de cette étape réside dans la recherche et la perception de ces manifestations et de ces phénomènes en vue de déceler les besoins du malade, d'y répondre et de lui donner ainsi la possibilité de s'améliorer.

Quatrième phase:

La quatrième phase serait une *phase de résolution ou fin de la relation.*

A ce moment, on se dirige vers une relation qui se termine; la cause en est soit le départ du malade de l'hôpital ou son changement d'unité, soit une affectation d'un soignant dans un autre service, etc.

Cette résolution de la relation demande toujours une longue préparation surtout avec le malade. Si l'on envisage sa sortie, il faudra favoriser sa participation à cette décision et à l'organisation de son départ et l'aider dans ses démarches pour son départ.

Si c'est le soignant qui quitte le malade, il faudra aviser celui-ci de ce départ et lui en expliquer les motifs afin d'éviter qu'il ne le vive comme un rejet.

Graduellement, le soignant diminuera son attention et l'amènera à devenir plus indépendant. C'est la phase la plus critique, car une séparation suscite toujours de l'angoisse, même chez la personne normale, la séparation étant un phénomène angoissant en soi.

Le malade sera donc encore plus sensible à la séparation et plus angoissé. Il aura besoin de se défendre de cette angoisse. Pour se soulager, il devra réagir; on pourra alors voir apparaître différentes réactions: agressivité, indifférence, somatisation, négation, régression, etc.

C'est donc au soignant d'avoir le souci de bien préparer le malade à la séparation, surtout si la relation a été intensive.

Une bonne préparation n'empêchera pas le malade de réagir, mais pourra peut-être lui rendre cette séparation moins douloureuse et lui permettre de s'engager plus facilement avec les autres par la suite.

Ces quelques notions bien qu'élémentaires peuvent nous aider à évoluer dans notre engagement avec les malades par une meilleure appréciation de ce qui se passe dans nos relations.

L'important est cette réflexion critique sur la qualité de ce qu'on fait avec les malades et l'essentiel est l'honnêteté et l'authenticité avec eux.

Il faut préciser enfin que ce processus d'évolution d'une relation thérapeutique peut aussi se remarquer au niveau de la relation de groupe.

TABLEAU

Processus d'évolution d'une relation[1]

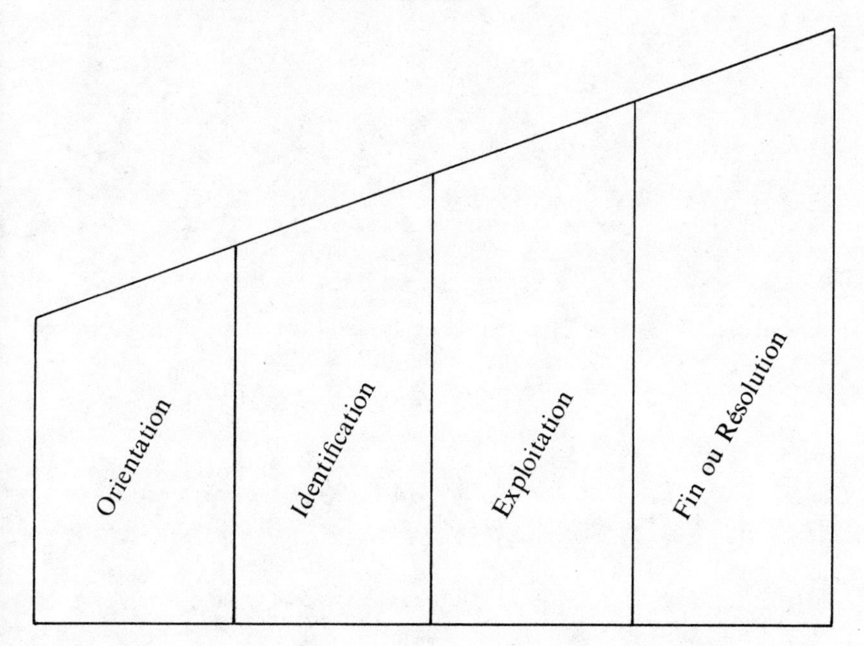

1. Il est important de souligner qu'il n'y a pas de démarcation aussi précise entre les différentes phases d'une relation; le passage de l'une à l'autre, par suite de leur continuité, est souvent imperceptible.

Phases d'une relation thérapeutique

Que signifie pour vous avoir une relation thérapeutique? Commentez.

En pensant à une relation que vous avez engagée avec un malade ou un groupe de malades, essayez de décrire le déroulement et l'évolution de cette relation.

Essayez maintenant de distinguer les principaux phénomènes et de mettre en évidence les différentes phases de cette relation.

Quelles difficultés éprouvez-vous à mettre en évidence ces différentes phases?

6
ÉTABLISSEMENT ET MAINTIEN D'UNE LIMITE

Introduction

L'établissement des limites est l'un des nombreux aspects, dans la relation soignant-malade, propre à nous causer certaines difficultés. En essayant de réfléchir à cet aspect, nous arriverons à dégager certains concepts et principes qui nous aideront à manipuler ces difficultés avec plus de dextérité. Il semble peut-être assez facile de saisir l'importance d'établir une limite avec un malade, mais encore faut-il aussi savoir pourquoi on veut l'établir, comment la maintenir et ce qu'elle signifie.

On pourrait dire que la limite est une restriction qui assure un contrôle et un cadre sécurisant pour le malade, afin de lui permettre un comportement plus acceptable.

Caractéristiques de la limite

La limite à établir est *précise*, c'est-à-dire bien définie et claire pour toute l'équipe soignante.

Elle est *souple*, c'est-à-dire qu'on se laisse la possibilité de réviser quotidiennement l'attitude adoptée et, par conséquent, de réajuster le projet thérapeutique selon l'évolution du malade.

Elle est *stable* et stabilité ne signifie pas rigidité, mais uniformité et fermeté dans l'attitude de tous les membres de l'équipe soignante.

Réactions possibles à l'application d'une limite

La façon de réagir à une limite peut varier suivant la pathologie et les besoins du malade, d'où la nécessité d'en discuter en équipe. La stabilité avec laquelle les membres du personnel appliqueront les restrictions dépendra de l'acceptation de cette limite pour le malade par chacun des soignants. Ceci exige une compréhension du comportement du malade et une capacité d'évaluer ses besoins. Par exemple, on ne pourra appliquer une limite de la même façon avec un malade surexcité ou violent qu'avec un malade suicidaire.

Chez l'équipe soignante

- Appréhension vis-à-vis de la réaction du malade qui est difficilement prévisible;
- Crainte de se sentir démuni, impuissant à manipuler la situation;
- Crainte de l'agressivité du malade, crainte d'être rejeté par lui ou de perdre son estime;
- Possibilité d'identification au malade. Par exemple, difficulté de certains soignants à accepter une limite, donc, incapacité de limiter les autres;
- Peur de détruire la relation déjà établie. Les soignants peuvent craindre de perdre l'estime du malade si on lui établit une limite;
- Peur de symboliser une autorité. Les sentiments et les difficultés du malade vis-à-vis de l'autorité sont fréquemment déplacés sur le soignant. Est-ce que le soignant peut acquérir une bonne perception de lui-même comme autorité? Est-ce qu'il a lui-même une figure d'autorité avec laquelle s'identifier? Il est certain que sa difficulté à accepter l'autorité se reflétera dans ses relations avec les malades, surtout s'il est dans la nécessité d'établir une limite;
- Culpabilité, surtout s'il s'agit d'une limite par contrôle physique.

Chez le malade

La réaction du malade à l'imposition d'une limite découlera de l'état de sa pathologie et aussi de la façon d'agir de l'équipe, d'où l'importance de pouvoir évaluer dans quelle mesure le comportement de l'équipe affecte celui du malade: quelles répercussions peuvent avoir l'intonation de notre voix, nos paroles, nos gestes?

Faire des compromis avec le malade comme employer la méthode récompense-punition ou ne faire aucune restriction seront des attitudes qui ne pourront que diminuer chez le malade l'estime qu'il a de lui-même peu importe la validité de la limite. Il peut croire qu'on établit une restriction pour le réduire à l'impuissance et non pour l'aider et le sécuriser. Il pourra même régresser et avoir des manifestations pathologiques plus évidentes.

Ce genre de réactions peut être l'indice soit d'une méthode d'approche inappropriée ou d'une révolte à l'égard de tout contrôle.

Évaluation de l'efficacité d'une limite

- Elle sécurise le malade et lui permet un comportement plus acceptable, plus positif.
- Elle entraîne une amélioration, un progrès dans son état. Ce progrès ne peut être apprécié qu'en équipe en tenant compte de la dynamique du comportement du malade.
- Elle permet un champ d'action à l'intérieur duquel le malade apprendra à discerner ses demandes.

Méthode pour appliquer une limite acceptable

Elle doit être jugée nécessaire, discutée et acceptée par toute l'équipe soignante. Nous avons tous observé parmi les malades la confusion qui découle du fait que des soignants ne s'entendent pas au sujet des restrictions. Même si certaines limites sont réalistes et nécessaires, les soignants qui les appliquent peuvent être perçus par le malade comme une autorité punitive si les autres membres de l'équipe agissent d'une façon contraire. Si le malade a la liberté de dresser une personne contre l'autre, il aura un beau champ d'action pour manipuler les soignants!

Les buts et la forme de cette limite seront bien expliqués au malade, de façon claire et concrète, ceci afin d'éviter une mauvaise interprétation des motifs des soignants, même si au début celui-ci a de la difficulté à accepter cette limite. Elle sera maintenue avec les exigences énoncées plus haut et présentée de telle façon que cela ne diminue pas chez le malade le sentiment qu'il a de sa valeur, de son utilité et de son importance.

Donner au malade la possibilité de s'exprimer vis-à-vis de cette limite et lui permettre de participer à son établissement.

La limite doit aussi être expliquée au groupe des malades. Ce dernier peut participer à la limite et aider le malade à l'accepter.

TRAVAIL CLINIQUE

Établissement et maintien d'une limite

Exposez une situation où vous avez vu en équipe la nécessité d'établir une limite pour un malade.

Quels étaient les buts de cette limite?

Comment l'avez-vous appliquée?

Comment a réagi le malade à cette limite?

Décrivez les difficultés que vous avez rencontrées dans l'établissement de cette limite.

7
PLAN DE SOINS: INSTRUMENT DE TRAVAIL EN ÉQUIPE

DÉFINITION
BUTS
MÉTHODE POUR ÉTABLIR UN PLAN DE SOINS
TRAVAIL CLINIQUE

Définition

C'est un instrument de travail qui permet de planifier et de modifier les soins du malade d'après ses besoins et son évolution.

Il prévoit donc une planification individuelle des soins pour chaque malade.

Buts

- Permettre de réfléchir sur la signification du comportement, afin de mieux répondre aux besoins du malade.
- Assurer une continuité et une cohérence dans les soins auprès des malades.
- Coordonner les diverses attitudes de l'équipe.
- Procurer au malade des soins plus individuels et plus compréhensifs.

Méthode pour établir un plan de soins

Première étape

Définir les objectifs à atteindre avec le malade (à long et à court terme).

Deuxième étape

Observer le malade dans sa totalité, au niveau de sa réalité de tous les jours. Cerner les problèmes des soins psychiatriques, c'est-à-dire les comportements du malade qui causent des difficultés dans le service (ce qui découle du symptôme).

Troisième étape

Réfléchir sur la signification de chaque comportement. Que traduit ce comportement? Qu'est-ce que le malade veut dire en agissant ainsi? Que cherche-t-il à nous faire comprendre, que veut-il exprimer? Quels sont ses besoins manifestés à travers ce comportement?

Quatrième étape

Discuter et établir un plan thérapeutique afin de permettre à l'équipe soignante d'avoir une attitude cohérente vis-à-vis du malade. Le plan thérapeutique oriente l'action des soignants et dégage des attitudes qui nous paraissent souhaitables pour remédier au problème posé par le malade.

Cinquième étape

Évaluer les résultats de notre plan thérapeutique, réviser notre action et la modifier si nécessaire. Il s'agit ici de considérer les objectifs fixés, de voir s'ils ont été atteints et si les interventions choisies étaient les plus aptes à répondre aux besoins du malade.

De façon générale, le plan de soins se fait en collaboration avec tous les membres de l'équipe qui participent aux soins immédiats du malade, mais ce dernier ne devrait pas rester étranger à l'élaboration de son plan de soins. Aussi est-il souhaitable, dans la mesure du possible, de le faire participer en fixant avec lui les objectifs de son plan de soins, ce qui peut s'avérer beaucoup plus efficace.

TRAVAIL CLINIQUE

Plan de soins

Renseignements généraux

Nom du malade: Age:

Date d'admission:

Médecin traitant:

Hospitalisations antérieures:

Courte histoire sociale:

Raisons de l'hospitalisation actuelle:

Traitements et projets thérapeutiques:

Programme de soins

Date:

<table>
<tr><td colspan="2" align="center">- 1 -
Objectifs à atteindre</td></tr>
<tr><td align="center">A long terme</td><td align="center">A court terme</td></tr>
<tr><td align="center">- 2 -
Problèmes de soins</td><td align="center">- 3 -
Besoins du malade décelés
à travers ses comportements</td></tr>
<tr><td></td><td></td></tr>
<tr><td colspan="2" align="center">- 4 -
Plan thérapeutique</td></tr>
<tr><td colspan="2"></td></tr>
<tr><td colspan="2" align="center">- 5 -
Évaluation du plan thérapeutique
Révisé le:</td></tr>
<tr><td colspan="2"></td></tr>
</table>

8
FIN D'UNE RELATION ET ANXIÉTÉ À LA SÉPARATION

Introduction

On s'étend beaucoup plus volontiers sur l'établissement des relations thérapeutiques avec le malade que sur la façon dont elles doivent se terminer.

Quelles sont, par exemple, les difficultés auxquelles le malade et le soignant doivent faire face?

Que ressentent-ils?

Comment aborder la fin d'une relation soignant-malade pour qu'elle puisse être utile et, peut-être même, être une source d'expérience enrichissante pour les deux personnes?

Nous entretenons tous durant notre vie des relations personnelles avec d'autres, puisque ces relations sont essentielles à notre équilibre. Aussi, considère-t-on généralement que l'entretien de relations satisfaisantes est essentiel au maintien de la santé mentale.

Chacun de nous expérimente, un jour ou l'autre, la fin d'une relation ou la séparation avec une autre personne et éprouve donc des sentiments de perte. Ceux-ci peuvent être diversement exprimés et la façon dont la séparation est envisagée peut varier avec chaque personne, selon ses expériences antérieures de séparation et ses associations passées.

Bien souvent, les sentiments et la conduite d'une personne vis-à-vis d'une situation de séparation ne sont que la répétition des sentiments ressentis lors de séparations antérieures. Celle qui a subi la perte d'un objet aimé, par exemple une personne significative de son entourage, ou qui a vécu un rejet durant ses années de dépendance aura beaucoup de mal, plus tard dans sa vie, à établir des relations personnelles ou à s'y engager. Ceci à cause de l'intensité de l'angoisse qu'elles soulèvent chez elle, intensité créée par cette peur ou cette menace de la séparation ou du rejet.

Il se peut alors qu'elle se défende d'établir des relations avec les autres parce que celles-ci lui font peur mais, par contre, elle peut les désirer intensément. Si elle arrive à se lier aux autres, elle aura sans doute beaucoup de mal à terminer ses relations d'une façon satisfaisante.

La fin d'un lien est donc de toute manière difficile à envisager et on tend souvent à éviter cette phase d'une relation à cause de l'anxiété ou de l'angoisse provoquée par la perte de l'objet aimé et leur conséquence, sentiments de solitude, d'abandon et de chagrin qui s'ensuivent. Nous sommes beaucoup plus portés à nous défendre de nos sentiments qu'à y faire face!

Aussi, une relation intense soignant-malade, une hospitalisation ou une prise en charge de longue durée peuvent amener soignant et malade à éprouver des sentiments de perte quand ce dernier reçoit son congé ou quand le soignant le quitte ou change de service. Les sentiments centralisés autour de l'objet perdu peuvent être exprimés de diverses façons. Ainsi, pour faire face à l'anxiété de la séparation, le malade et les soignants pourront utiliser des mécanismes de défense ou certaines réactions afin de se sentir relativement à l'aise dans cette situation.

Les soignants pour être thérapeutiques à ce moment-là doivent pouvoir identifier leurs propres sentiments et réactions vis-à-vis de la séparation et de la manière dont ils les expriment s'ils veulent aider le malade à résoudre ses difficultés.

Le malade ne verbalise pas toujours ses sentiments; ils sont parfois difficiles à reconnaître. Il est donc important que l'équipe se sensibilise à cette situation et reconnaisse les différentes réactions du malade.

Réactions éventuelles du malade à une situation de séparation

Négation

Le malade peut nier formellement avoir été averti de son départ ou de son congé par le soignant.

Au moment du départ, ne pouvant nier ce fait, il pourra en minimiser l'importance ou la signification. Il peut à ce moment exprimer ses sentiments par des paroles superficielles qui ne sont qu'un moyen de camoufler de vrais sentiments. Par exemple, le malade dira: «Ah non, ça ne me fait rien de partir d'ici; d'ailleurs, je serai mieux chez moi; au moins j'aurai la paix.»

Agressivité et hostilité

Le malade peut être agressif envers le soignant à cause du départ de ce dernier. L'agressivité peut être dirigée vers celui-ci mais aussi déplacée vers des incidents quotidiens n'ayant apparemment aucun rapport direct avec la séparation, vers un autre membre du personnel, un autre malade ou encore les membres de sa famille.

Si on ne lui laisse pas un terrain d'essai, c'est-à-dire l'opportunité d'exprimer son agressivité ouvertement, il pourrait utiliser des moyens pathologiques. Il pourra devenir hostile à l'hôpital ou à l'équipe soignante en leur verbalisant des aspects négatifs; rendre son entourage mauvais peut lui faciliter la séparation. Par exemple, le malade dit: «Vous êtes tous des bons à rien, et vous ne vous occupez pas de vos malades!»

Projection

Pour se défendre de son agressivité, il peut attribuer à un membre du personnel des sentiments agressifs qu'il ne peut, lui, exprimer. Par exemple, il pourra dire que l'infirmier(ère) ou telle personne de l'équipe est fâchée contre lui, qu'on lui en veut.

Isolement

S'isoler peut aussi être une autre réaction à la séparation. A ce moment, les malaises peuvent s'accentuer; il se plaindra par exemple de troubles physiques et pourra même pleurer afin d'obtenir plus d'attention du personnel soignant.

Régression

Son anxiété peut être assez intense pour que la régression apparaisse. Il peut reprendre les mêmes comportements perturbés qu'à son arrivée et même redevenir délirant afin de rester dépendant de l'hôpital.

Rationalisation

Il peut trouver de bonnes raisons logiques pour faciliter son départ et ainsi remplacer son sentiment réel de chagrin.

Par exemple, le malade dit: «Je serai bien mieux chez moi; j'aurai mes disques, ma voiture et je pourrai sortir comme je veux!»

Réactions du soignant à la fin d'une relation avec un malade

En tant que soignant, nous participons fréquemment à des situations de séparation avec le malade; nous avons tous un jour expérimenté la fin d'une relation avec lui. Mais combien de fois nous sommes-nous vraiment arrêtés pour réfléchir à ce qui se passait?

Pourquoi le malade est-il si hésitant à son départ?

Pourquoi sommes-nous si préoccupés par sa médication, ses valises et si peu par lui finalement?

Pourquoi l'empêchons-nous de donner libre cours à ses sentiments face à la séparation?

Autant de questions, autant d'inquiétudes. Le soignant a besoin lui aussi de se défendre de ses réactions. L'important est de se sensibiliser à ces diverses façons de réagir afin d'identifier ses propres sentiments et propres émotions et apprendre ainsi à manipuler les diverses situations face à la séparation.

Ainsi, le soignant peut lui aussi nier ses sentiments face au départ du malade ou surestimer sa propre importance à ses yeux. Il peut avoir tendance à croire que son départ le laisse indifférent. Ainsi, il se préserve de l'expression des sentiments positifs ou négatifs du malade envers lui. Ceci peut l'encourager inconsciemment à garder la conversation sur des sujets superficiels.

Il peut aussi lui répondre par une agressivité camouflée comme oublier les promesses faites, oublier de lui donner ses médicaments, inclure d'autres malades dans la conversation avec lui ou encore oublier de le voir.

Parfois la difficulté peut découler de l'inquiétude à propos de la réaction du malade. Si le soignant pense que discuter de la chose avec lui pourra augmenter son angoisse ou le faire régresser (ce qui pourrait être difficile à accepter) il aura tendance à remettre à plus tard toute conversation relative au départ.

Il arrive aussi parfois que le malade verbalise davantage la veille de son départ. Le soignant peut à ce moment se sentir coupable de laisser le malade; il hésite à partir et souhaite pouvoir poursuivre la relation.

Cette culpabilité peut le pousser à faire des promesses de visiter le malade ou de lui écrire afin de faciliter le départ.

Moyens thérapeutiques d'aider le malade à faire face à la séparation

En premier lieu, il faut reconnaître l'importance de situer la fin de la relation dès le premier contact avec le malade. Ceci peut être fait en se présentant tout d'abord auprès de lui, en formulant et en partageant ses buts avec lui. Si le soignant lui explique son rôle dans le service ainsi que le nombre de jours et d'heures qu'il pourra passer avec lui, il lui fournit ainsi l'occasion de déterminer jusqu'à quel point celui-ci peut s'engager dans cette relation.

Il est donc nécessaire d'établir et de partager des buts précis lors de l'établissement de la relation quant au nombre et quant à la durée des moments qu'on peut passer avec le malade. Tout changement d'horaire, toute coupure ou congé par exemple doit lui être expliqué et soigneusement clarifié afin de lui éviter de vivre cette situation de perte ou de séparation comme un rejet.

Si toutefois le soignant devait s'absenter sans pouvoir en aviser le malade, il devrait à ce moment-là communiquer avec d'autres membres du personnel qui pourraient l'avertir de ces changements. A son retour, le soignant pourra clarifier les raisons de son absence avec celui-ci.

Dès que pour le malade il est question de départ, de changement de pavillon ou de soignant, il devient alors primordial d'en discuter avec lui.

La séparation peut se révéler difficile autant pour l'un que pour l'autre. Elle demande donc une période de temps suffisamment longue pour résoudre les sentiments qu'elle suscite. C'est durant cette période que le soignant devra se sensibiliser davantage aux diverses réactions du malade qui a besoin de se défendre de son angoisse face à la séparation. Aussi, devra-t-il l'aider tout particulièrement et lui laisser l'opportunité de verbaliser ses sentiments face à cette séparation ou face à ces changements.

Le soignant qui se sent capable de lui exprimer ses propres sentiments peut l'aider et l'inciter à exprimer les siens.

S'il s'agit d'un départ du soignant ou d'un changement d'unité ou de pavillon, il devient important de lui présenter le soignant qui le prendra en charge.

La préparation à la séparation et à la fin d'une relation est donc une phase importante et critique qui exige beaucoup de réflexion et de sensibilité, si l'on veut aider le malade à résoudre cette étape d'une façon satisfaisante et profiter d'une expérience mutuelle.

La façon de se préparer peut être variable, mais les principes de base demeurent les mêmes vis-à-vis de la fin d'une relation. Tout dépend de la manière d'agir avec le malade.

Fin d'une relation

Les sentiments de perte peuvent être exprimés de diverses façons quand une relation soignant-malade se termine.

Votre malade vous quitte ou bien vous quittez votre malade. L'avez-vous annoncé à votre malade? De quelle manière?

Comment a-t-il réagi à cette annonce?

Qu'avez-vous fait d'autre pour le préparer à ce départ?

Comment a-t-il réagi à cette préparation?

Quelle a été votre attitude vis-à-vis des réactions du malade?

Quels sont selon vous les mécanismes ou réactions utilisés par le malade pour se soulager de son anxiété à la séparation?

Commentez votre attitude.

Qu'est devenu votre malade après la séparation?

9
ÉTUDE DE L'INTERACTION

INTRODUCTION
MÉTHODE D'ÉTUDE
PLAN DE TRAVAIL
TRAVAIL CLINIQUE

Introduction

Si l'on tient compte du fait que toute relation interhumaine se construit à coups d'interactions, il paraît important de réfléchir au système d'action-réaction que nous réalisons dans nos relations avec les malades, si nous les voulons thérapeutiques.

Voici la proposition d'un plan d'étude qui peut amener le soignant à examiner le processus d'action entre lui et le malade.

Cette étude peut l'aider à devenir plus conscient de ses sentiments, de ses réactions et de l'effet de son action dans l'interaction soignant-malade.

Méthode d'étude

Diviser les pages en deux; d'un côté vous décrivez les réactions du malade, de l'autre vos réactions. (Numérotez vos paragraphes.)

Il s'agit de faire revivre quelques rencontres avec votre malade.

Pour la première étude d'interaction, vous pouvez rapporter 3 ou 4 rencontres qui se déroulent en une journée avec le même malade.

Par la suite, vous pouvez faire une étude d'interaction de 3 à 4 jours puis une autre de 7 à 8 jours.

Décrivez alors tout ce qui se passe à l'intérieur de ces échanges entre vous et le malade (apparence physique, physionomie, humeur, gestes, mimiques, regards, postures, sentiments, pensées, paroles, intonations de la voix, etc.).

Rédigez au présent et rapportez les paroles entre guillemets avec le plus d'exactitude possible. Indiquez chaque rencontre et la durée.

Votre description doit être visuelle, vivante. Nous devons vous voir agir et vous entendre autant que le malade.

Après chaque rencontre, retirez-vous dans la mesure du possible pour prendre des notes sur les principaux faits, gestes et paroles. Le soir, reconstituez le texte suivant la technique de l'étude d'interaction.

Après avoir complété la rédaction, mettez votre travail de côté pendant quelques jours avant d'en faire l'analyse ou la critique.

Plan de travail

Nom du malade: Age:

Courte histoire sociale:

Raisons de l'hospitalisation:

Projets thérapeutiques:

Courte évolution de votre relation avec ce malade:

PREMIÈRE RENCONTRE
DURÉE:

Action du malade	*Action du soignant*
Rapportez vos observations sur le malade tel que vous le voyez en l'abordant (vos perceptions).	
	Rapportez vos remarques, votre posture, vos sentiments, vos pensées, vos gestes envers ce malade au début de votre rencontre.
Rapportez les réactions, les gestes, les paroles, intonations de la voix, etc., du malade à vos remarques, à vos attitudes.	
	Rapportez votre réponse, votre façon d'agir face au malade.

et continuez ainsi...

Critique de l'interaction

Faites la critique en essayant d'évaluer votre approche vis-à-vis de ce malade.

Identifiez les différents phénomènes relationnels et prouvez-les si possible par des exemples concrets dans votre interaction.

Relevez les besoins du malade révélés par le comportement que vous décrivez dans l'interaction et voyez de quelle façon vous avez répondu ou n'avez pas répondu aux besoins de votre malade.

Relevez les exemples de communication non verbale et de mécanismes de défense.

Relevez les points ou les situations qui démontrent l'anxiété dans cette relation soignant-malade.

VOCABULAIRE[1]

Antipathie. Elle serait due (selon Szondi) à la reconnaissance en l'autre de certains traits de caractère que nous avons en nous et que nous nous ingénions à refouler, à combattre et à cacher.

Attitude thérapeutique. Disposition à pouvoir s'engager d'une façon thérapeutique (critères de l'engagement thérapeutique) avec le malade pour favoriser un comportement plus positif chez ce dernier.

Authenticité. Préoccupation constante de comprendre, en se demandant sincèrement si on a bien compris chaque élément.

Conceptualisation. Effort de formulation et de définition d'un concept. Élaboration d'un concept à partir d'une expérience ou d'un ensemble d'informations.

Dynamique de groupe. Ensemble des phénomènes spécifiques qui se produisent dans les petits groupes et des lois, également spécifiques, qui les régissent. On appelle aussi dynamique de groupe, les techniques d'action sur les personnes et sur les groupes pour opérer le changement des opinions ou des attitudes des participants ou membres du groupe.

Empathie. Attitude qui nous dispose à capter les sentiments, les émotions et les désirs intérieurs de l'autre personne, à vivre dans un certain sens son expérience sans toutefois s'identifier à lui, sans confondre ses sentiments et ses perceptions avec les siens propres, sans éprouver pour autant les mêmes émotions. Ceci exige donc l'objectivité, l'honnêteté et la disponibilité à recevoir le message de l'autre tel qu'il le communique.

En d'autres termes, c'est une sympathie «froide» qui exige la compréhension, l'intuition du vécu d'autrui, mais aussi la suspension du jugement, l'absence d'implication affective et la possibilité de l'objectivité.

Une autre définition de l'empathie

«C'est une attitude spéciale envers autrui, du genre «sympathie froide» constituée par:
la présence à autrui, une écoute compréhensive,
la centration de l'attention sur ce que l'autre éprouve affectivement,
l'effort de compréhension de ce qu'il exprime en excluant de cet effort toute tendance à juger autant que toute inclination affective (sympathie, antipathie).» R. Mucchielli

Engagement thérapeutique. Qualité de relation qui suppose de l'empathie de la part du soignant, une acceptation du malade comme il est, une habileté à lui fournir un terrain d'essai pour qu'il s'exprime et trouve de nouvelles normes de comportement, une sensibilité et une capacité à percevoir et à évaluer d'une façon objective ses besoins et d'y répondre adéquatement, ceci en tenant compte des critères thérapeutiques recommandés par le médecin.

1. Quelques définitions peuvent faire l'objet de discussion. La plupart de ces définitions sont empruntées aux ouvrages dont la liste suit le vocabulaire de la 1re partie.

Identification. Tendance à assumer, à assimiler et à incorporer les traits caractéristiques d'une autre personne ou d'un autre groupe.

Implication. C'est être personnellement concerné, être sentimentalement dans la situation, être touché affectivement par ce qui est dit ou fait.

En d'autres mots, signifie se sentir concerné ou mis en cause, se mettre dedans personnellement. L'implication peut empêcher d'observer réellement ce qui se passe, de s'observer soi-même et peut nuire à notre disponibilité.

Interaction. Relation interhumaine par laquelle l'intervention de l'un a un effet sur l'autre, lui donne des idées, le fait réagir, le fait intervenir à son tour et ce, inversement.

Il y a interaction dès qu'un sujet cesse de penser ou de parler tout seul pour s'exprimer avec quelqu'un et lui répondre d'une façon verbale ou non verbale. Nous agissons et réagissons non seulement en fonction de nous, de nos buts, mais également en fonction de ce que nous font ou nous disent les autres.

Plus précisément, l'interaction est un aller-retour d'une action et d'une réaction, d'une intervention et d'une réponse, soit entre deux personnes communiquant entre elles, soit entre une personne et un groupe, soit entre deux sous-groupes, etc. De plus, les interactions ne sont pas uniquement verbales; elles peuvent être non verbales.

Sensibilisation. Au sens pédagogique, on appelle «sensibilisation» une plus grande réceptivité des sujets en formation à l'égard de phénomènes ou de données réelles jusque-là ignorées ou peu prises en considération.

Spontanéité. Selon Moreno, la «spontanéité» est la manifestation première et essentielle de la liberté créatrice, de l'authenticité personnelle et la condition de l'ajustement au présent (capacité d'adaptation active à toute situation nouvelle). Elle s'oppose (et doit s'en dégager) à toutes les formes d'automatisation de la pensée et de l'action (habitudes acquises, méthodes rigides, routine, coutumes et pressions culturelles).

Subjectivité. C'est le contraire de l'objectivité; consiste à donner à ce qui se dit ou se fait des significations personnelles qui «masquent» le réel au lieu de le percevoir tel qu'il est. Peut produire des distorsions énormes qui empêchent de saisir la signification réelle de ce qui se passe.

Sympathie. Sentiment instinctif d'attraction à l'égard de quelqu'un. Il proviendrait d'après certains auteurs, soit d'une identification (reconnaître en l'autre un style d'action et de réaction identique au nôtre), soit d'une aspiration (reconnaître en l'autre un style ou un genre auquel nous aspirons sans l'avoir).

La sympathie s'exerce sur un autre être dont on partage les sentiments ou dont on admet les mobiles.

BIBLIOGRAPHIE

OUVRAGES

ALVAREZ, Walter C. *The Neurosis.* Philadelphia, W.B. Saunders, 1951.

BARUK, Henri. *Les thérapeutiques psychiatriques.* Paris, P.U.F., 1966.

BERNARD, Paul. *Psychiatrie pratique.* "Bibliothèque neuro-psychiatrique de langue française", Paris, Desclée de Brouwer, 1947.

BINET, Léon. *Gérontologie et gériatrie.* "Que sais-je?" no 919, Paris, P.U.F., 1961.

BROWN, M.M. and G.R. FOWLER. *Psychodynamic Nursing.* 2nd ed., Philadelphia, W.B. Saunders, 1961.

CLEGHORN, R.A. et G.C. CURTISS. *Acta psychosomatica.* "Documenta Geigy" no 2, Montréal, Édition Nord-Américaine, [s.d.].

CLOUTIER, François. *Un psychiatre vous parle.* Montréal, Beauchemin, 1954.

COURTOIS, Guy. *L'épilepsie.* Montréal, Montreal Medical, 1960.

CRAWFORD, Anne Louise and Barbara Boring BUCHANAN. *Psychiatric Nursing.* Philadelphia, F.A. Davis, 1961.

DELAY, Jean et Pierre DENIKER. *Méthodes chimiothérapiques en psychiatrie.* Paris, Masson, 1961.

DENIKER, Pierre. *La psycho-pharmacologie.* Paris, P.U.F., 1966.

ENGLISH, O. Spurgeon et Gerald H.J. PEARSON. *Problèmes émotionnels de l'existence.* Paris, P.U.F., 1956.

EY, Henri, P. BERNARD et G. BRISSET. *Manuel de psychiatrie.* Paris, Masson, 1960.

GAGNON, Rachel et Jules LAMOTHE. *Soigner, c'est vivre le défi quotidien.* Chicoutimi (Québec), Éditions Science moderne, 1970.

GIBSON, John. *Psychiatry for Nurses.* Oxford, Blackwell Scientific Publications, 1962.

JONES, Maxwell. *The Therapeutic Community.* New York, Basic Books, 1953.

KALKMAN, Marion E. *Introduction to Psychiatric Nursing.* 2nd ed., Toronto, McGraw-Hill, 1958.

LEGRAND, Bijou, Dr. *Psychiatrie simplifiée.* Port-au-Prince (Haïti), Imprimerie Séminaire Adventiste, 1963.

MATHENEY, R.V. and Mary TOPALIS. *Psychiatric Nursing.* 2nd ed., St. Louis, Mosby, 1957.

MENNINGER, Karl A. *Man against Himself.* New York, Harcourt, 1938.

MENNINGER, Karl A. *The Human Mind.* 3rd ed., New York, Knopf, 1945.

MERENESS, D. and L.J. KARNOSH. *Essentials of Psychiatric Nursing.* 6th ed., St. Louis, Mosby, 1962.

MUCCHIELLI, Roger. *La dynamique des groupes.* Paris, Éditions sociales françaises, 1969.

NOYES, Arthur, Edith HAYDON and Mildred VAN SICKEL. *Textbook of Psychiatric Nursing.* 5th ed., New York, MacMillan, 1959.

POIROT, Antoine. *Manuel alphabétique de psychiatrie.* Paris, P.U.F., 1969.

RAPIER, D.K. *et al. Practical Nursing.* St. Louis, Mosby, 1958.

RENDER, Helena W. *Les relations infirmière-malade en psychiatrie.* Montréal, Association des infirmières de la province de Québec, 1955.

ROBINSON, Alice M. *Technique de remotivation.* Montréal, Smith, Kline and French, 1962.

ROGERS, Carl. *Le développement de la personne.* Paris, Dunod, 1966.

SCHNEIDER, K. *Personnalités psychopatiques.* Paris, P.U.F., 1955.

SCHWARTZ, M.S. and E.L. SCHOCKLEY. *The Nurse and the Mental Patient.* New York, Russel Sage Foundation, 1956.

SULLIVAN, H.S. *Conception on Modern Psychiatry.* Washington D.C., The William Allison White Foundation, 1947.

VANDERVELDT, J.H. and R.P. ODENWALD. *Psychiatrie et catholicisme.* "Siècle et catholicisme", Paris, Mame, 1954.

VINATIER, Joannès. *Manuel de psychiatrie à l'usage des infirmiers.* Paris, Poinat, 1959.

VINAY, Marie-Paule. *Éléments de vocabulaire psychologique et psychiatrique.* Montréal, Pélican, 1958.

ARTICLES

BOWMAN, Karl M. and Rose MILTON. "A Criticism of the Terms Psychosis, Psychoneurosis and Neurosis". *American Journal of Psychiatry,* 108, 3 (September 1951).

BOWMAN, Karl and ROACH. *American Journal of Psychiatry,* 108, 3 (September 1951).

DAUMEZON, G., M. AUDISIO et F. TOSQUELLES. "Troubles du comportement – conduite d'agitation". *Encyclopédie médico-chirurgicale.* Tome 1, no 37140-A10, Paris, Laffont, (constamment tenue à jour).

DUCHÊNE, H. et J. AZOULAY. "Psychose périodique maniaco-dépressive". *Encyclopédie médico-chirurgicale.* Tome 2, no 37220-A10, Paris, Laffont, (constamment tenue à jour).

DURAND, Charles. "Psychopathologie des tendances toxicophiliques". *Encyclopédie médico-chirurgicale.* Tome 3, no 37380-A20, Paris, Laffont, (constamment tenue à jour).

EPP LANE, Mary. "L'infirmière et l'alcoolique". *L'infirmière canadienne.* Montréal, 61, 8 (août 1965).

HENNE, Michel. "Les possibilités d'avenir des déficients intellectuels". *L'hygiène mentale.* Paris, Éditions Doin, 1964.

NEWTON, Kathleen. "Basic Needs of the Aged". *American Journal of Nursing,* 50, 1 (January 1950).

NEYLAN PROWSE, Margaret. "The Depressed Patient". *American Journal of Nursing,* (July 1961).

ROBINSON, Alice M. "Communicating with Schizophrenic Patients". *The American Journal of Nursing,* 60, 8 (August 1960).

SCHMICKEL, Bert W. "L'arriération mentale – étude d'ensemble". *Hygiène mentale au Canada,* 13, 2 (mars-avril 1965).

SCHMICKEL, Bert W. "Le problème social de la déficience mentale". *Secrétariat national de Caritas-Canada,* (1955).

DOCUMENTS

ASSOCIATION CANADIENNE POUR LA SANTÉ MENTALE. *Vocabulaire psychiatrique.* Montréal, 1963.

AMERICAN PSYCHIATRIC ASSOCIATION. *Diagnostic and Statistical Manual Mental Disorders.* Washington D.C., 1968.

CONSEIL DES OEUVRES DE MONTRÉAL. *L'enfance exceptionnelle.* Mémoire présenté à la Commission Royale d'enquête sur l'éducation. Montréal, avril 1962.

GOUVERNEMENT DU CANADA. *Manuel de classification des diagnostiques psychiatriques.* Ottawa, Bureau fédéral de la statistique, division de la santé et du bien-être, section de l'hygiène mentale, mars 1969.

HÔPITAL GÉNÉRAL DE QUÉBEC. *Notions de gériatrie.* Suivi d'un bref résumé sur le nursing et la réhabilitation des malades chroniques.

OUVRAGES NON PUBLIÉS

BARBEAU, Gérard L. *Historique et classification de déficients mentaux.* Montréal, 1965.

BOUCHARD, Micheline. *Psycho-pédagogie de la déficience mentale.* Montréal, 1965.

BROSSEAU, Constance. *Établissement des limites.* Montréal, Institut Albert-Prévost, 1963.

GENDREAU, Lucie. *Occupation thérapeutique en psychiatrie.* Montréal, 1963.

LEFRANÇOIS, Georgette. *L'ergothérapie.* Paris, Association de la santé mentale, XIIIe arrondissement, 1969.

ARTICLES NON PUBLIÉS DE L'INSTITUT ALBERT-PRÉVOST. Montréal, 1964-1967.

BELTRAMI, Édouard, Dr. "Les perversions"

DOUCET, P., Dr. "Traitement biologique"

GERVAIS, Laurent, Dr. "La névrose d'angoisse"

LEMIEUX, Roger R., Dr. "La schizophrénie"

LEMIEUX, Roger R., Dr. "Psychothérapie de la schizophrénie"

LORTIE, Gilles, Dr. "Les conditions paranoïdes"

MAURIELLO, Vincent, Dr. "L'hystérie"

MAURIELLO, Vincent, Dr. "Perversions"

SAINT-LAURENT, Claude, Dr. "Les facteurs psychologiques causals dans les maladies psychosomatiques"

VASQUEZ, J., Dr. "L'alcoolisme"

NOTES DE COURS DE L'ÉCOLE DE SPÉCIALISATION EN NURSING PSYCHIATRIQUE

L'anxiété

La psychose maniaco-dépressive

La schizophrénie

Manifestations de l'anxiété et considérations thérapeutiques

Mélancolie d'involution

Personnalité du psychopathe

Psychose résultant de la narcomanie

FILMOGRAPHIE

CINÉMATHÈQUE ROCHE, 1956, rue Bourbon, Montréal 378
Bonjour, mon œil
Le miroir magique d'Aloyse
Phobie d'impulsion

CINÉMATHÈQUE UNIVERSITAIRE LAVAL
Role-Playing in Human Relations Training

MENTAL HYGIENE INSTITUTE, 5690, rue Peel, Montréal
Developing Leadership

OFFICE NATIONAL DU FILM, Service de cinémathèque, C.P. 6100, Montréal 101
Activator I
Activator II
Huit témoins
La drogue
Le déficient mental
Le stigmate
The Circle

SANDOZ CANADA LTÉE, 385, boulevard Bouchard, Dorval
Le monde du schizophrène

SMITH, KLINE & FRENCH, Services cinématographiques, 300, boulevard Laurentien, Montréal
Le nursing psychiatrique

STERLING MOVIES-CANADA, 4980, rue Buchan, bureau 301, Montréal 308
La perception de l'imaginaire
La psychiatrie à travers l'écran
Le Horla
Les différents visages de la dépression
Les neuroleptiques
Tests mentaux en psychiatrie

Sources d'informations pour obtenir les catalogues de films

ANA-NLN Film Service
Audiovisual Resources for Nursing
10, Columbus Circle
New York, N.Y. 10019, U.S.A.

Audio Visual Services
The Pennsylvania State University
University Park, Pennsylvania 16802, U.S.A.

Behavioral Sciences Media Laboratory
Department of Psychiatry and Behavioral Sciences
University of Oklahoma Medical Center
Oklahoma City, Oklahoma 73104, U.S.A.

Canadian Film Institute
Ottawa, Ontario

Centre d'information sur l'enfance et l'adolescence inadaptées
Hôpital Sainte-Justine
Departement de psychiatrie infantile
3100, rue Ellendale
Montréal 251, Québec

Cinémathèque médicale du Canada
Sterling Movies-Canada
4980, rue Buchan, bureau 301
Montréal 308, Québec

Cinémathèque Roche
Hoffmann et LaRoche Limitée
1956, rue Bourdon
Montréal 378, Québec

Department of Mental Hygiene
Training Section
744, P. Street
Sacramento, California, U.S.A.

Filmathèque médicale Ayerst
4980, rue Buchan, bureau 402
Montréal 308, Québec

Filmathèque Merck, Sharp & Dohme
C.P. 899
Pointe-Claire, Dorval 700, Québec

Films médico-scientifiques Sandoz
385, boulevard Bouchard
Dorval, Québec

National Audiovisual Center
Washington DC 20409, U.S.A.

National Science Film Library
1762, Carling
Ottawa 13, Ontario

Office national du film du Canada
Service de cinémathèque
C.P. 6100
Montréal 101, Québec

Robert Anderson Associates Ltd
Shyridge, Mountain Road, R.R. 2
Aylmer East, Québec

San Diego Country Probation Department
Training Office
P.O. Box 23096
San Diego, California 92123, U.S.A.

Lithographié au Canada par:
ATELIERS DES SOURDS (Montréal) Inc.
85 ouest, rue DeCASTELNAU - MONTRÉAL 327
6